Alfred Hitchcock

präsentiert:

SPIELE FÜR GUTE FREUNDE

Kriminalgeschichten

WILHELM HEYNE VERLAG
MÜNCHEN

HEYNE-BUCH Nr. 1880
im Wilhelm Heyne Verlag, München

Deutsche Erstveröffentlichung
mit Ausnahme der Geschichten
von C. B. Gilford und Hal Dresner

Titel der amerikanischen Originalausgabe
HARD DAY AT THE SCAFFOLD
Deutsche Übersetzung von Gerd Keller

3. Auflage

Neuauflage des Heyne-Buches Nr. 1350
Copyright © 1967 by H. S. D. Publications, Inc.
Printed in Germany 1980
Umschlaggestaltung: Atelier Heinrichs & Schütz, München
Gesamtherstellung: Ebner Ulm

ISBN 3-453-10471-4

INHALT

Das Baby

Gestern und vorgestern abend war Harry Cogan davor zurückge-schreckt. Und morgen würden Vince Miller und Susan nach Europa fahren. Also mußte es heute abend geschehen.

Er blickte durch das geräumige Labor zu dem Tisch, an dem Vince nach seinem letzten Versuch Ordnung machte und sich zum Aufbruch rüstete. Sämtliche anderen Angestellten der radiobiolo-gischen Abteilung von Barth & Embick, allesamt wissenschaftliche Berater, waren schon vor Stunden gegangen. Aber er und Vince hatten wie gewöhnlich Überstunden gemacht. Jetzt war es beinahe sieben Uhr.

Harry unterdrückte das leise Zittern seiner Hände, wischte sich die feuchten Handflächen an seinem knielangen Laborkittel trok-ken und stand auf. Der Augenblick war gekommen. Wenn er auch nur wenige Minuten zögerte, war es zu spät.

»Vergiß nicht, das Baby ins Bett zu legen und dann ins Haus zu stellen«, sagte Vince freundlich, als Harry auf dem Weg in den Vorraum an ihm vorbeiging.

Harry lächelte.

»Das Baby ist bereits im Bett und schläft«, antwortete er. Das war eine stehende Redensart, die im Labor gebraucht wurde, so-lange Harry sich erinnern konnte. Das ›Baby‹ war ein Stück Ra-dium von der Größe einer halben Aspirintablette. Sein ›Bett‹ war die kleine Bleidose, in der es aufbewahrt wurde und sein ›Haus‹ der mit Blei verkleidete Safe, in dem alles radioaktive Material ein-gesperrt wurde, so man es nicht brauchte.

Im Augenblick war das Baby wohl in seinem Bett, aber das Bett selbst war nicht in seinem Haus. Es steckte in der rechten Tasche von Harry Cogans Hose. Es wog zwei Pfund, aber er hatte das Gefühl, daß es zehn wären.

Ein hübscher Mann, dachte Harry, und trat in den Vorraum. Zu hübsch. Das war Vince Millers größter Fehler. Er war zu hübsch und auch zu klug. Ehe Vince hier zu arbeiten begonnen hatte, war Harry mit Susan verlobt gewesen. Er sollte der Nachfolger des Abteilungsleiters werden. Jetzt, bloß sieben Monate später, war Vince Miller mit Susan verlobt. Sie wollten kommenden Samstag heiraten und anschließend eine Hochzeitsreise nach Paris machen. Vince Miller war auch Abteilungsleiter geworden.

Harry ging zu den Garderobenschränken an der gegenüberliegenden Wand. Er versuchte, an nichts zu denken und nichts zu empfinden. Denn an diesem Punkt hatte er am letzten und vorletzten Abend die Nerven verloren. Das konnte ihm wieder passieren. Er hielt sich vor, daß so gut wie keine Entdeckungsgefahr für ihn bestand. Vince würde zwei bis drei Wochen, vielleicht auch länger, keinerlei Symptome an sich bemerken. Inzwischen würden Vince und Susan in Paris sein, und keiner hatte Ursache, zu vermuten, daß Vinces Radiumvergiftung mehr als ein unseliger Unfall war. Dieses Risiko hatten alle, die so wie Vince und Harry mit radioaktivem Material arbeiteten, bewußt auf sich genommen.

Sobald das Baby sich erst in Vinces Anzug befand, den er am Körper trug, würde es ihn langsam auf die schreckliche Straße drängen, die zum Tode führte. Gegen Radiumvergiftungen gab es keine Gegenmittel, keine Heilung. Sobald Vince das Baby nach Hause und wieder zurück ins Labor getragen hatte, war er bereits verloren.

Da es um Vince ging, hatte Harry keine Skrupel. Genausowenig Skrupel, wie Vince sie hatte, als er Harry die Braut und die Beförderung wegschnappte. Harry hatte sich zwei Jahre lang bemüht, Susan für sich zu gewinnen, und acht Jahre für seine Beförderung gearbeitet. Dann war Vince erschienen und hatte ihn in sieben kurzen Monaten um beides geprellt.

Dein Pech, dachte Harry, als er die kleine Blechdose aus seiner Tasche zog und aufklappte. Zitternd nahm er mit einer Pinzette das winzige Radiumkügelchen aus der Dose und öffnete mit der anderen Hand Vinces Spind. Im nächsten Augenblick lag das Baby tief in der inneren Brusttasche von Vinces Rock. Auch falls Vince häufig in diese Tasche greifen sollte, so war die Chance, daß seine Finger bis auf den Grund gelangen würden, äußerst gering.

Geräuschlos schloß Harry die Spindtür, wischte sich mit einem Papiertaschentuch den Schweiß vom Gesicht und ging ins Labor zurück.

»Immer noch an der Arbeit über Radiothermik, Vince?« fragte er, als er zu seinem Labortisch schritt.

Vince nickte und schob seinen Stuhl zurück. Er war im Begriff, in den Vorraum zu gehen. »Immer noch, Harry«, sagte er. »Vielleicht gelingt es mir, sie heute abend zu beenden. Ich werde es jedenfalls versuchen.«

»Wer weiß, vielleicht wirst du dadurch noch berühmt«, sagte Harry.

Vince lachte. »Bestimmt«, sagte er. »Na, dann gute Nacht, Harry. Bis morgen.«

Harry sah den breiten Rücken im weißen Laborkittel durch die Tür verschwinden. Dann ließ er sich in seinen Stuhl sinken. Er saß ganz betäubt da und lauschte dem quietschenden Geräusch, das Vince mit dem Öffnen und Schließen seines Spinds verursachte. Dann hörte er, wie Vinces Schritte rasch auf dem langen Korridor verhallten, der auf die Straße führte.

Als Harry am Abend nach Hause kam, mischte er sich einen großen Martini, legte ein Album mit Bartokmusik auf seinen Plattenschrank und setzte sich in den bequemen Ledersessel, den Susan ihm im Vorjahr zu Weihnachten geschenkt hatte.

Langsam schlürfte er seinen Martini und versuchte zum hundertsten Male, einen eventuellen Fehler oder irgendeine Möglichkeit für ein Mißlingen zu entdecken. Aber es war ihm kein Fehler unterlaufen. Die Sache konnte nicht schiefgehen. Natürlich konnte Vince Miller morgen einen anderen Anzug tragen. Aber das war kein Problem. Harry war morgen zu Vinces Polterabend eingeladen. Und da es an einem Polterabend immer turbulent zugeht, würde sich bestimmt eine Gelegenheit finden, einen Griff in Vinces Kleiderschrank zu tun, um das Baby von einer Tasche in die andere wandern zu lassen. Auch im Labor würde morgen niemand das gleiche Baby vermissen, weil es in der nächsten Abteilung das gleiche Baby gab, das Harry sich tagsüber ›ausleihen‹ konnte.

Noch ehe das große Martiniglas halb leer war, fühlte Harry sich bedeutend heiterer als jemals, seit Vince Miller für Barth & Embick zu arbeiten begonnen hatte. Er wußte, daß er diese Hochstimmung nicht dem Alkohol zu verdanken hatte. Nein, es war ganz einfach die Befriedigung, nun doch noch über Vince triumphiert zu haben. In wenigen Wochen durfte er mit der ehrlich verdienten Beförderung rechnen — und vielleicht kam auch Susan wieder zu ihm zurück.

Nach einer halben Stunde verspürte er den unwiderstehlichen Wunsch, Vince anzurufen und mit ihm zu reden. Es müßte köstlich sein, hier bei seinem Martini zu sitzen und zu wissen, daß

Vince ein Todeskandidat war, der nicht im entferntesten an seinen Tod dachte. Er würde plaudern und gleichzeitig die heimliche Freude genießen, daß er selbst der Mann war, der Vince zum Tode verurteilt hatte. Er lächelte vor sich hin, nahm den Telefonapparat vom Kaffeetisch und wählte Vinces Nummer.

»Hallo?« meldete sich Vince.

»Hier Harry, Vince.«

»Oh, hallo, Harry. Was gibt's denn?«

»Nichts Besonderes. Ich sitze bloß da und habe über dich und Susan nachgedacht.«

»Ach.«

»Ja. Und ich wollte dir sagen, daß ich dir nichts nachtrage.«

»Wegen Susan und mir, meinst du?«

»Ja. Und wegen der Beförderung natürlich auch. Ich habe beides völlig abgeschrieben, Vince. Der Tüchtigste hat gewonnen, und ich bin der erste, der das zugibt.«

Vince lachte etwas unsicher. »Das freut mich, Harry«, sagte er. »Du hast mir das zwar schon mal gesagt, aber ich freue mich immer wieder, es von dir zu hören.« Er schwieg einen Augenblick. »Sonst noch etwas, Harry?«

»Nur, daß ich dir und Susan alles erdenkliche Glück wünsche, Vince. Ich meine es ehrlich.«

»Vielen Dank, Harry. Bist du auch ganz sicher, daß du mir sonst nichts zu sagen hast?«

»Nein, gar nichts«, antwortete Harry. »Ich hatte nur eben Lust, dich anzurufen.«

»Nett, daß du's getan hast«, sagte Vince. »Also dann bis morgen!«

»Bis morgen. Gute Nacht, Vince.« Er legte auf, lächelte lange Zeit auf den Telefonapparat hinab, der auf seinen Knien stand, und stellte ihn dann auf den Kaffeetisch zurück. Morgen, dachte er. Morgen. Seit sieben Monaten hatte er sich vor jedem neuen Tag gefürchtet. Jetzt konnte er es kaum erwarten, daß es morgen wurde.

Als der nächste Tag endlich gekommen war und Harry den Vorraum betrat, bemerkte er, daß er ganz allein war. Das war um diese Zeit ungewöhnlich. Er nützte die einmalige Gelegenheit sofort aus. Noch bevor er seinen Rock mit einem der weißen Laborkittel vertauschte, öffnete er Vinces Spind. Er lächelte, als er sah, daß die gleiche Jacke drinnen hing, die Vince gestern getragen hatte, und er suchte in der inneren Brusttasche nach dem Baby.

Es war fort.

Harry fluchte leise vor sich hin und kramte fieberhaft zuerst in der einen und dann in der anderen Ecke der Tasche.

»Suchst du etwas, Harry?« fragte Vince Miller von der Tür her.

Harry fühlte Eiseskälte in sich aufsteigen. Er mußte alle Kraft zusammenraffen, um sich zu Vince umdrehen zu können. Als er sprach, klang seine Stimme völlig fremd.

»Ich wollte bloß ein Streichholz haben«, sagte er und zwang sich zu einem Grinsen, von dem er wußte, daß es genauso unecht wirkte wie sein ganzer Gesichtsausdruck. »Ich muß mein Feuerzeug verlegt haben.«

Vince nickte, griff in seine Tasche und reichte Harry eine Streichholzschachtel.

»Wenn du jetzt auch noch eine Zigarette hättest, könntest du sogar rauchen«, sagte er lachend.

Auch Harry lachte. Es war ein verzweifeltes, verbittertes Lachen. Er zog ein Päckchen Zigaretten aus seiner Hemdtasche, schob sich mit ungeschickten Fingern eine Zigarette zwischen die Lippen und blickte zu Vince hin. »Willst du auch eine, Vince? Deine Marke.«

»Danke, nein«, erwiderte Vince lächelnd. »So dürfte es wohl auch gestern abend gewesen sein«, sagte er. »Da hast du sicherlich auch nach Streichhölzern gesucht.«

Harry versuchte zweimal, seine Zigarette anzuzünden. Beide Male mißlang es ihm. Schließlich steckte er die Zigarette und die Streichhölzer in seine Tasche. »Gestern abend?«

»Ja. Während du hier im Vorraum gewesen bist, kurz bevor ich heimgegangen bin. Ich hatte etwas in den Safe legen müssen. Dabei habe ich bemerkt, daß das Baby nicht da war. Du hattest mir aber kurz zuvor versichert, daß du es zu Bett gebracht hättest. Ich wollte dich daher darauf aufmerksam machen, daß das Baby fehle.«

»Willst du damit sagen, daß du hier herausgekommen . . . Du bist hier in den Vorraum gekommen, Vince?«

»Nicht ganz so weit«, sagte Vince. »Ich kam nur bis zur Tür. Und dann . . . Ich weiß nicht, wahrscheinlich bin ich durch die bevorstehende Hochzeit, die Fahrt nach Paris und die ganzen Aufregungen der letzten Zeit etwas durcheinander, Harry. Jedenfalls bin ich bis an die Tür gekommen und hatte irgendwie ganz plötzlich vergessen, das Baby dir gegenüber zu erwähnen.« Sein Lächeln vertiefte sich. »Komisch, nicht?«

Harry fixierte Vince mit starrem Blick und ließ sich dabei langsam auf die Bank vor den Garderobenschränken fallen.

»Du siehst ein bißchen blaß aus, Harry«, sagte Vince. »Machst du dir Sorgen wegen des Babys? Das ist nicht nötig. Es wird schon wieder auftauchen — vermutlich genau dort, wo du es am wenigsten erwartest.« Er lächelte Harry zu, spitzte die Lippen und pfiff beinahe lautlos vor sich hin.

Mit wachsendem Entsetzen starrte Harry zu Vince empor. Unwillkürlich tastete seine Hand zu seiner inneren Brusttasche. Er sah deutlich Vinces Gesicht vor sich, er sah, wie Vince ihn beobachtete, während er das Baby in seinen Rock schmuggelte. Und später hatte Vince dann einfach das Baby in Harrys Tasche gesteckt.

Vince ging zur Tür, blieb aber noch einmal stehen und wandte sich zu Harry um. »Ich habe es reizend von dir gefunden, daß du mich gestern abend angerufen hast, alter Freund«, sagte er. »Es ist mir eine große Erleichterung, zu wissen, daß du mir nichts nachträgst.«

Harry versuchte, Vince nicht ins Gesicht zu sehen, aber es gelang ihm nicht. Er fuhr sich mit der Zungenspitze über die Oberlippe. Sie war trocken und gefühllos.

»Ich werde dir aus Paris eine Karte schreiben«, sagte Vince. »Und du mußt mir auch schreiben, Harry. Wenigstens ein, zwei Zeilen — damit ich weiß, wie es dir geht.«

Die Dame in Rot

Mit jeder Minute wurde dieser Mann unheimlicher. Anfangs war er bloß ein mächtiger, burschikoser, unbeholfener und taktloser Mensch gewesen. Jetzt aber flößte er Veda Angst ein. Sie mußte neben dem Krug mit roten Rosen stillsitzen und zusehen, wie er Farben auf die Leinwand pinselte. Ab und zu blickte er von seiner Staffelei auf und sah sie an. Dabei durchflutete sie eine sonderbare, quälende Hitze, als ob sich ihr Körper einer Gefahr bewußt wäre, die ihr Verstand noch nicht erfaßt hatte. Seine Augen waren dunkel und durchdringend. Sobald er sie nur flüchtig ansah, vermochte sie sich nicht zu regen.

Und unentwegt mußte sie auf die Skizze starren, die unter die Staffelei gefallen war: die Skizze eines Kopfes, an dessen Hals eine grellrote Wunde klaffte.

Am Mittwoch beim gemeinsamen Mittagessen — Veda und Elaine aßen regelmäßig am Mittwoch zusammen — war Elaine überschwenglich wie immer gewesen. In den zweiundzwanzig Jahren ihrer Freundschaft hatte sie stets irgend etwas gefunden, wofür sie sich begeistern konnte. Zuviel Überschwenglichkeit konnte einem auf die Nerven gehen. Aber Elaine war spontan und ließ sich nicht bremsen. Von dem Augenblick an, da sie — verspätet wie gewöhnlich — an den Tisch gekommen war, hatte Elaine geplappert. Unpünktlichkeit war Veda verhaßt. Eine berufstätige Frau mußte lernen, ihre Verpflichtungen einzuhalten. Elaine hatte aber nie etwas zu lernen brauchen — was ihre Konversation deutlich bewies.

»Ich habe einen Friseur entdeckt, der einfach himmlisch ist! Wirklich, Veda, du mußt ihn unbedingt ausprobieren. Nicht, daß deine Frisur, wie sie ist, nicht bezaubernd aussähe, aber sie wirkt so streng und konservativ. Henri nennt meine Frisur ›Aprillüftchen‹. Was hältst du davon?«

Elaine drehte den Kopf nach allen Seiten. Zur Zeit war ihr Haar honigfarben. Sie trug es ins Gesicht gekämmt und kleine Löckchen umrahmten ihre Stirn und ließen das verrückte kleine Hütchen, das auf ihrem Hinterkopf thronte, kaum sehen.

»Sehr hübsch«, bestätigte Veda. »Und was geschieht im Mai?«
»Ach, du . . .« Sie lachte. »Das weiß ich noch nicht«, sie kicherte.
»Ich werde es eben abwarten müssen. Aber wenn du nur auch einmal hinfahren wolltest, Veda, ich würde mich bemühen, daß Henri dich persönlich bedient. Ich würde dich bei ihm ansagen. Er ist nämlich wahnsinnig überlaufen. Er nimmt nicht jeden.«

»Ich fühle mich geschmeichelt«, sagte Veda, »aber ich kann mir nicht vorstellen, daß ich die lange Fahrt nach La Jolla auf mich nehme, nur um mich frisieren zu lassen.«

»Nur, um dich frisieren zu lassen!« Diese Bemerkung brachte Elaine so aus der Fassung, daß sie sich fast an dem kalorienarmen Feinschmeckermenü des Küchenchefs verschluckt hätte. »Ich bitte dich, was auf Erden könnte denn wichtiger sein? Willst du vielleicht den Rest deines Lebens nur noch als unbeteiligte Zuschauerin verbringen, Veda?«

Veda hatte längst gelernt, Elaine zuzuhören. Das war ein Kunststück. Ganz automatisch nahm sie ihre Worte auf und gab die richtigen Antworten, während sich ihre Gedanken mit ganz anderen Dingen beschäftigten. Diese Mittwochtreffen wurden allmählich langweilig; besonders, seit Elaine allwöchentlich ihre Lebensauffassung unterbreitete und sich bemühte, den Charakter ihrer Freundin Veda Richards zu ändern. Der Kellner gab Veda einen willkommenen Anlaß, Elaine zu reizen. Als er die leeren Teller abgeräumt hatte, stellte er vor Veda einen Dessertteller mit Pudding hin. Elaine beobachtete sie mit Entsetzen.

»Das wirst du doch nicht essen!« sagte sie, als der Kellner sich entfernt hatte. »Veda, ich flehe dich an — überlege, ehe du den Löffel in die Hand nimmst!«

Gehorsam blieb Veda einige Sekunden reglos sitzen. »So, jetzt habe ich überlegt«, verkündete sie dann, nahm den Löffel, kostete den Pudding und nickte anerkennend. »Köstlich! Willst du wirklich keinen haben?«

»Ich kann ihn nicht einmal ansehen!« stöhnte Elaine. »Das ist reiner Selbstmord! Begreifst du denn nicht, was du dir damit antust? Du gibst dich auf!«

»Bitte — Elaine! Nicht schon wieder.«

»Doch, wieder und wieder und wieder! Du bist eine junge Frau, Veda, und hübsch obendrein, wenn du es sein willst. Ich weiß, wie sehr du Ken geliebt hast; aber seit dem Unfall sind vier Jahre vergangen . . .«

»Und zwei Monate«, ergänzte Veda ruhig.

»Na bitte, da siehst du es! Du zählst sogar die Monate. Das tat dir nicht gut, Veda. Schau mich an. Ich bin ganz verrückt nach Peter gewesen. Aber kaum hat der Schuft mich verlassen, habe ich nach einem anderen Mann Ausschau gehalten — noch am Tag meiner Scheidung. Bisher habe ich noch keinen neuen gefunden. Aber das Urteil tritt ja auch erst in zwei Wochen in Kraft. Du kannst nicht ewig die trauernde Witwe spielen. Du solltest endlich wieder mit Männern zusammenkommen.«

Veda lächelte nachsichtig. »Elaine, ich komme täglich mit Männern zusammen. Ein Immobilienbüro ist ja kein Kloster.«

»Kens Immobilienbüro«, sagte Elaine, »mit dem du seit seinem Tod verheiratet bist. Und dabei hast du das gar nicht nötig, das weiß ich. Ken hat dir eine Versicherung und das Haus hinterlassen.«

»Elaine, ich habe dich gebeten . . .«

»Warum tust du das, Veda? Warum vergräbst du dich in diesem Betrieb? Warum fürchtest du dich, ein neues Leben zu beginnen?«

Veda sah lächelnd auf.

»Lassen wir für heute dieses Kapitel ruhen, einverstanden? Und jetzt erzähle, was du sonst noch an aufregenden Dingen erlebt hast.«

Im Grunde interessierte sich Veda nicht dafür, aber sie mußte ein anderes Thema anschneiden. Elaine sah einen Augenblick finster und enttäuscht aus; doch ihre angeborene gute Laune kam schnell wieder zum Vorschein.

»Ach, das wird dich interessieren. Ich lasse mich porträtieren.«

So ein Unsinn kann auch nur Elaine einfallen, dachte Veda. »In Öl?«

»Ja. Und von einem wunderbaren Künstler — einfach wundervoll! Augenblick, ich glaube, ich habe die ersten Skizzen hier in meiner Handtasche.«

Elaines Handtaschen hatten immer ein gigantisches Format. Sie trug auf jedem ihrer Ausgänge kaum weniger als ein komplettes Gepäck für eine Afrikasafari bei sich. Aus den Tiefen einer riesigen Ledertasche fischte sie mehrere Blätter eines Skizzenblocks hervor, die sie zum Pudding hinschob. Veda nahm und betrachtete sie. Es waren einfache Skizzen; der Strich war sehr sicher und kräftig und fast etwas — das war angesichts des behandelten Themas sonderbar — gewalttätig. Elaine war deutlich zu erkennen.

»Er ist gut, nicht wahr?« fragte Elaine.

Elaine konnte sich niemals eine selbständige Meinung bilden.

»Ja«, sagte Veda, »sehr gut.«

»Und dabei sind das erst die Skizzen. Du solltest sehen, wie er mit den Ölfarben umgeht.«

»Ist er« — Veda zögerte, ehe sie das Wort aussprach — »jung?«

»Michael? Aber nein. Er hat schon graues Haar.«

Veda legte die Skizzen nieder.

»Dann ist er also alt.«

»Nein, er wird in unserem Alter sein, nehme ich an. Sein Haar ist nicht richtig grau, bloß meliert. Veda, warum versuchst du es nicht auch mal mit einer Tönung?«

Veda lachte. »Elaine, du bist unverbesserlich. Ich habe mich nur nach seinem Alter erkundigt, weil . . .« Sie zögerte. Warum hatte sie gefragt? Der einfachste Grund war auch der verständlichste, also sagte sie: »Weil solche Kraft aus seiner Arbeit spricht.«

Elaine warf einen Blick auf ihre Uhr. »Ich werde Michael erzählen, was du gesagt hast. Es wird ihn freuen. Aber wenn wir rechtzeitig zur Matinee im Theater sein wollen, müssen wir sofort aufbrechen, Veda.«

»Michael«, wiederholte Veda und starrte immer noch auf die Skizzen. »Michael — und wie weiter?«

»Ich hasse es, mich bei einer Matinee zu verspäten. Es ist so widerlich, sich an all diesen Weibern vorbeidrängen zu müssen.« Jetzt erst schien Elaine Vedas Frage zu begreifen. »Hardin«, antwortete sie. »Michael Hardin heißt er. Und bitte komm jetzt, meine Liebe. Du sollst deinen Pudding ohnehin nicht aufessen.«

Elaine war bereits aufgestanden. Es blieb Veda nichts anderes übrig, als ihr die Skizzen zu geben und ihr zu folgen.

Damit hätte das Kapitel Michael Hardin beendet sein sollen. Es war spät, als Veda heimkam. Die Sonne war untergegangen, die Dunkelheit hereingebrochen. Sie fuhr den Wagen in die Garage und stieg die Stufen hoch. Dabei stieß sie auf einen sommersprossigen zwölfjährigen Jungen in Drillichhosen und Sandalen.

»Sie haben gesagt, ich soll jeden Mittwoch das Zeitungsgeld kassieren . . .«

Veda steckte den Schlüssel ins Schloß. »Schon recht, Jerry, das weiß ich. Der dichte Verkehr hat mich aufgehalten.«

»Haben Sie ein gutes Stück gesehen?«

»Ein Stück?« Die Tür schwang nach innen auf. Veda trat ein, dann drehte sie sich stirnrunzelnd um.

»Sie hatten vorige Woche gesagt, daß Sie ins Theater gehen wollen.«

»Ach, das . . .« Veda öffnete ihre Handtasche. Manchmal ging ihr der Junge mit seiner Fragerei auf die Nerven. »Moment mal. Ich bin dir einen Dollar fünfundzwanzig schuldig.«

Der Junge antwortete nicht, und Veda blickte auf und merkte, daß er an ihr vorbeistarrte. Am anderen Ende des Wohnzimmers, genau der Eingangstür gegenüber, war eine Doppeltür aus Glas, die auf die Terrasse führte. Von da aus konnte man auf die Stadt hinuntersehen. Im Augenblick bot sich ein golden-violett-blaues Farbenspiel. Jerry starrte wortlos und überwältigt — wie es nur ein Zwölfjähriger sein kann, der plötzlich die Schönheit entdeckt hat — auf das Panorama.

»Toll!« sagte er. »Es sieht wie ein Gemälde aus, nur daß dieses echt ist.«

Veda lächelte und folgte Jerrys Blick. In ihren Augen spiegelte sich ein gewisser Stolz.

»Ja, das stimmt. Mein Mann hat das so entworfen. Er war ein sehr gescheiter Mann, Jerry. Er wollte, wenn er abends nach einem harten Arbeitstag nach Hause kam, die Welt zu seinen Füßen liegen sehen; mit ihr herumschlagen mußte er sich tagsüber schon genug.«

»Dann bleiben Sie wahrscheinlich deshalb hier«, sagte Jerry. »So ganz allein in diesem großen Haus. Die Leute reden bereits darüber.«

Vedas Gesicht verkrampfte sich. Sie zählte dem Jungen das Geld in die Hand.

»Danke«, sagte er und wollte schon fortlaufen, aber Vedas Stimme hielt ihn zurück.

»Was reden denn die Leute über mich?«

»Ach, verschiedenes«, sagte Jerry. »Was für eine hübsche Frau Sie sind, und warum Sie hier so ganz allein wohnen. Manche meinen auch, Sie sollten das Haus verkaufen, andere wiederum sagen, Sie sollten sich einen anderen Mann suchen, der hier bei Ihnen wohnt, damit Sie nicht so allein sind. Verschiedenes eben. Aber ich weiß, was Ihnen wirklich fehlt.«

»Und das wäre, Jerry?«

»Ein Schwimmbecken draußen im Hof. Dann müßten alle Jungs aus der Umgebung nicht mehr in den Park zum Baden gehen.«

»Und an meine Teppiche denkst du wohl gar nicht?«

»Wir würden von hinten über die Felsen klettern. Paßt es Ihnen wieder am nächsten Mittwoch, Mrs. Richards?«

»Einverstanden, Jerry«, sagte Veda.

Sie schloß die Tür hinter dem Jungen, ging durchs Wohnzimmer zur Glastür und starrte hinaus. Die Dunkelheit wurde immer undurchdringlicher. Sie beobachtete gern, wie die Nacht über die Stadt hereinbrach. Jahrelang hatten Ken und sie dieses Schauspiel gemeinsam genossen und dabei einen Cocktail und die Stille geteilt.

Von der Tür konnte sie Kens Porträt über dem Kamin sehen. In dem schummrigen Licht sah sie nur noch sein kräftiges Kinn und den entschlossenen Mund. Er war immer noch der Herr des Hauses, und das Bewußtsein, daß er da war, verlieh ihr ein Gefühl der Sicherheit.

Der Klatsch, den der Zeitungsjunge ihr ins Haus gebracht hatte, ärgerte sie. Doch da fielen ihr auch ganz deutlich Elaines Worte wieder ein: »Warum fürchtest du dich, ein neues Leben zu beginnen?«

Veda wandte sich vom Fenster ab. Es war jetzt so dunkel, daß das geräumige Zimmer wie eine finstere Höhle aussah. Aber sie machte kein Licht an, als sie nach oben ging. Gewohnheitsmäßig blieb sie stehen, um einen Blick auf Kens Tür zu werfen, dann trat sie in ihr eigenes Zimmer. Sie knipste das Licht an und verscheuchte ihre trübe Stimmung. Diese war nichts weiter als die übliche Reaktion auf Elaines allwöchentliche Missionstätigkeit.

Es gab ein unfehlbares Mittel, ihre Niedergeschlagenheit abzuschütteln. Sie entkleidete sich und schlüpfte in einen Morgenmantel aus Samt. Dann zog sie sich in ihr Badezimmer zurück, ließ heißes Wasser in das Waschbecken laufen und nahm eine Shamponflasche aus dem Arzneischrank.

»So, teurer Henri«, verkündete sie dem Spiegel, »jetzt zeigen Sie, was Sie können.«

Sie hatte gerade das Shampon im Haar verteilt, als das Telefon läutete. Sie tastete nach dem Handtuchhalter und lief tropfnaß ins Schlafzimmer. Sie warf sich quer übers Bett und griff nach dem

Hörer, als das Telefon zum viertenmal läutete. Es war Elaine, übersprudelnd wie immer.

»Veda — ich muß dir sofort etwas erzählen!«

»Du hast doch hoffentlich keinen Unfall gehabt«, sagte Veda.

»Red' keinen Unsinn! Ich bin schon beinahe seit einer Stunde zu Hause. Michael ist auf einen Sprung vorbeigekommen, weil er hören wollte, ob ich ihm morgen sitzen kann. Ich habe ihm gesagt, daß du seine Arbeit so ungemein männlich fändest.«

»Ich habe gesagt, daß seine Zeichnung Kraft verrät und daß sie gut ist«, berichtigte Veda. »Von männlich war keine Rede. Da hast du mich ungenau zitiert.«

Elaine kicherte. »Aber das ist doch egal, oder? Kraft ist Kraft. Jedenfalls hat er wissen wollen, wer du bist, und da habe ich ihm alles über dich erzählt. Ich habe sogar ein paar alte Fotos ausgegraben, die wir in dem Jahr gemacht haben, in dem du und Ken und Peter und ich in Ensenada den Urlaub verbracht haben und . . . Also, um eine kurze Geschichte noch kürzer zu machen: Michael möchte dich malen!«

Elaine verkündete das, als wäre es mindestens die Einladung zu einer Galapremiere.

»Natürlich will er mich malen«, antwortete Veda. »Das ist schließlich sein Beruf. Ich wette, daß er in der Wohnung jeder seiner Kundinnen das Foto irgendeines Menschen findet, den er gern malen würde. Das ist bedeutend billiger als inserieren.«

Am anderen Ende des Drahtes war deutlich zu hören, wie jemand nach Luft schnappte, und dann sagte ganz unerwartet eine Männerstimme: »Das ist eine ausgezeichnete Idee, Mrs. Richards. Ich bedaure, daß ich nicht so schlau war, selbst daran zu denken. Hier spricht Michael Hardin.«

»Er hört am anderen Apparat mit«, fiel Elaine ihm ins Wort.

»Das ist ein schäbiger Trick«, beschwerte Veda sich.

Michael lachte. »Ich finde es bezaubernd. Und Ihre Idee ist wirklich empfehlenswert. Ich habe Elaine gebeten, Sie anzurufen, Mrs. Richards. Sie haben sehr interessante Züge. Mir gefällt Ihr Mund. Und jetzt« — er legte eine nachdenkliche Pause ein —, »jetzt gefällt mir zudem Ihre Offenheit. Wollen Sie sich malen lassen, Mrs. Richards?«

»Ich habe kaum Zeit . . .«

»Mittwochs nehmen Sie sich doch immer frei. Das hat Elaine mir jedenfalls erzählt. Ich brauche nur einen einzigen Tag für ein paar

Studien. Sie können sich dann immer noch entschließen, ob wir weitermachen sollen oder nicht.«

Es war höchste Zeit, das Gespräch abzubrechen. Aber aus irgendeinem Grunde wollte sie den Mann nicht beleidigen.

»Ich weiß nicht . . .«, begann sie zögernd.

»Aber du mußt es wissen«, meldete sich Elaine wieder. »Sei kein Spielverderber, Veda. Michael und ich haben schon alles abgesprochen. Wir fahren Mittwoch früh gemeinsam in die Stadt und kommen zu dir. Vielleicht kann ich uns bei dir etwas kochen, während du und Michael arbeiten. Diese Restaurants hängen mir schon richtig zum Halse heraus.«

Elaine führte etwas im Schilde. Dieser Anruf klang zu unverbindlich. Veda fühlte flüchtig einen Verdacht aufsteigen, sagte aber trotzdem zu.

»Prächtig!« rief Elaine. »Also dann bis Mittwoch.«

Die männliche Stimme meldete sich noch einmal, weich und eindringlich.

»Gute Nacht, Mrs. Richards«, sagte Michael Hardin.

Veda ging wieder ins Bad und betrachtete sich kritisch im Spiegel. Ihr Haar war kurz. Als sie das Handtuch entfernte, waren die vorderen Haare beinahe trocken.

Der Mittwoch war dem Faulenzen gewidmet. Im allgemeinen schlief Veda immer bis nach neun Uhr. Um diese Zeit wachte sie automatisch vom Geräusch der Mähmaschine des Gärtners auf. An diesem Mittwoch aber endete ihr Schlaf bedeutend früher. Veda erwachte mit einer unbestimmten Furcht. Schlaftrunken versuchte sie zu überlegen, was dieses Unbehagen in ihr verursachte. Sie hob den Kopf vom Kissen und sah zu ihrem Nachttisch hin. Auf dem Kalender stand quer über den ganzen Tag ein Name geschrieben: Michael Hardin. Jetzt wußte sie, wovor ihr grauste. Sie sank wieder zurück und ärgerte sich, daß sie diesen Einbruch in ihr Privatleben gestattet hatte. Diese Belästigung hatte sie wieder einmal Elaine zu verdanken. Aber bald sollte damit Schluß sein. Veda war klar, daß sie Michael Hardin ja im Grunde überhaupt nicht zu empfangen brauchte. Sie brauchte nur nach dem Telefon zu greifen —

Da klingelte das Telefon, noch ehe sie es berührt hatte.

»Mrs. Richards?« Sie erkannte die Stimme sofort. Sie war unverwechselbar. »Hier ist Michael Hardin. Sie wissen doch noch von unserer Verabredung?«

Er konnte nicht kommen. Vedas Hand umspannte den Hörer fester.

»Es handelt sich um Ihre Freundin, Mrs. Davis . . .«

»Elaine?«

»Ja, Elaine. Sie hat irgendeine Vorladung zum Gericht bekommen und kann mich heute nicht begleiten. Ich hoffe, das stört Sie nicht.«

Es störte sie sogar sehr. Es klang unwahr.

»Eine Vorladung?« wiederholte Veda. »Was für eine Vorladung denn?«

»Oh, ich glaube, es handelt sich um das endgültige Inkrafttreten ihrer Scheidung«, antwortete Hardin. »Recht lästig; aber wir müssen unsere Pläne deswegen nicht ändern. Wir werden ohne sie sogar besser arbeiten. Und wegen des Mittagessens machen Sie sich keine Mühe. Ich werde unterwegs eine Kleinigkeit einkaufen.«

»Ach, das macht keine Mühe, aber . . .«

»Ja?«

»Das Haus ist nicht leicht zu finden.«

»Oh, Mrs. Davis hat mir gestern abend alles genau geschildert. Nach ihren Angaben werde ich den Weg mit geschlossenen Augen finden.«

»Gestern abend?« Sie mußte sich wehren — und zwar energisch. Das war schon wieder einer von Elaines Tricks. Aber es war zu spät. Das Telefon klickte, und die Verbindung war abgebrochen. Michael Hardin war nicht mehr aufzuhalten . . .

Er traf genau um zwölf Uhr mittags ein. Veda stand in der offenen Tür. Das erzwungene Begrüßungslächeln auf ihrem Gesicht erstarb. Michael Hardin. Sie hatte eine kühne Skizze gesehen und eine warme Stimme gehört. Jetzt aber sah sie sich einem ruppigen, ungeschlachten Mann in einem verknitterten Tweedanzug gegenüber. Das ergrauende Haar lichtete sich über der Stirn bereits stark. Seine dunklen großen Augen unter den buschigen Brauen blickten sie durchdringend an.

Selbst sekundenlanges Zögern kann zu lang sein. Michael Hardins Lächeln verschwand.

»Mrs. Richards?« fragte er. »Ja, ich kenne das Gesicht. Ich hoffe, meines hat Sie nicht zu sehr entsetzt. Ich bin Michael Hardin.«

Unhöflich drängte er sich an ihr vorbei ins Wohnzimmer. Er hatte nur Augen für die Glastüren zur Terrasse. Auf halbem Weg hielt er an, weil das Porträt über dem Kamin ihn abgelenkt hatte. Er musterte es kurz.

»Ihr Mann«, entschied er.

Veda schloß die Tür hinter sich und ging langsam durchs Zimmer. Sie war zwar unangenehm berührt, aber auch neugierig geworden.

»Ja«, sagte sie.

Nun betrachtete er das Porträt mit unverhohlenem Interesse.

»Das ist ein grausamer Mensch gewesen«, sagte er.

»Mein Mann und grausam? Aber es konnte keinen rücksichtsvolleren . . .«

»Aus diesem Mund spricht Grausamkeit«, sagte Hardin unbeirrt, »und ein Mund lügt niemals. Die Augen lügen oft, aber der Mund lügt nie.« Dann drehte er sich um und starrte sie an. Er lächelte jetzt wieder. »Der Mund nie«, wiederholte er. »Aber er ist ja schon mehrere Jahre tot.«

»Seit vier Jahren«, antwortete Veda.

»Ja, das hat Elaine mir gesagt.«

Er ging zur Glastür und trat auf die Terrasse hinaus, die aus sorgfältig gelegten alten Ziegelsteinen bestand und in den Garten führte. Der jetzt kurz gemähte Rasen wurde von bunten Blumenbeeten begrenzt, und tief violette Klematisblüten rankten sich über die Ziegelmauer, die das Grundstück vom Nachbarbesitz trennte. Michael Hardin prüfte die Umgebung; er ging zur Mitte der Terrasse, drehte sich langsam nach allen Seiten um und kam schließlich auf Veda zu, die an der Glastür wartete.

»Es war wirklich nicht ganz einfach, Ihr Haus zu finden«, gab er zu. »Sie leben sehr zurückgezogen. Von den Nachbarn dringt wohl kaum ein Geräusch bis zu Ihnen« — dabei sah er flüchtig zur Ziegelmauer hin — »und umgekehrt hört man Sie hier wohl auch nicht.«

»Die Umgebung ist sehr ruhig«, sagte Veda.

»Ausgezeichnet. Lärm lenkt bloß ab. Ich arbeite nicht gut, wenn ich abgelenkt werde.« Er blickte sich um. »Ein Gärtner zum Beispiel . . .«

»Mein Gärtner war heute früh hier«, erklärte Veda. »Jetzt kommt er erst wieder in einer Woche.«

»Und der Gärtner Ihrer Nachbarn?«

»Die haben denselben Mann wie ich. Er ist gleich, als er hier fertig war, hinübergegangen. Auch die Leute können Sie nicht stören, weil sie zur Zeit in Palm Springs sind.«

»Gut. Dann können wir hier draußen in der Sonne arbeiten.«

Er begann unverzüglich, seine Staffelei aufzustellen. In der Mitte seines Kopfes hatte er eine kleine kahle Stelle, etwa von der Größe eines Silberdollars. Sie glänzte in der Sonne, als er sich über seine Arbeit neigte. Fasziniert starrte Veda die kahle Stelle an, bis er sich aufrichtete, sich ihr zuwandte und sie mit seinen durchdringenden Augen fixierte.

»Das Kleid stört«, sagte er. »Ziehen Sie es aus.«

»Wie, bitte?« Veda war entsetzt.

»Dieser Kragen. Er paßt mir nicht. Außerdem brauche ich einen Stuhl für Sie und etwas für mein Malzeug . . .«

In einer Ecke der Terrasse waren ein weißer schmiedeeiserner Tisch und Stühle für das Mittagessen hingestellt. Ungestüm packte Hardin einen der Stühle, stellte ihn aber ab, als sein Blick auf die weiße Schale mit den roten Rosen auf dem Tisch fiel. Er hob die Schale mit beiden Händen hoch und hielt sie Veda mit schwungvoller Bewegung vors Gesicht. »Die da brauche ich auch«, fügte er hinzu. »Rot steht Ihnen. Haben Sie ein rotes Kleid?«

»Ein Abendkleid«, sagte Veda.

Michael Hardin blickte sie mürrisch an, ohne die Rosen aus der Hand zu geben.

»Meine liebe Mrs. Richards«, sagte er herablassend, »meine Leinwand und mein Pinsel wissen nicht, zu welcher Tageszeit ich male. Ziehen Sie das rote Kleid an!«

Es war ein Befehl, ein höchst unliebenswürdiger zudem.

»Mr. Hardin . . .«, begann Veda.

»Das rote Kleid.«

»Mr. Hardin — wir haben noch nicht zu Mittag gegessen.«

»Ich esse niemals zu Mittag. Ich muß arbeiten, solange das Licht kräftig ist. Licht hat die Eigenschaften, zu verblassen, Mrs. Richards. Alles verblaßt, wenn wir nicht aufpassen.« Er starrte sie während des Sprechens an. Jetzt sah er weg, und sein Blick schweifte über die Umgebung. »Ihr Mann muß sehr erfolgreich gewesen sein. Für eine Frau allein ist das Haus sehr groß.«

»Hat Elaine Sie zu dieser Bemerkung veranlaßt?«

Hardin lächelte. »Sie haben mich dazu veranlaßt, Mrs. Richards.«

»Ich?«

»Vorige Woche am Telefon.« Er starrte neugierig an ihr vorbei ins Innere des Hauses. »Ein Stockwerk ... ja, ein vorbildliches Haus.« Dann fiel sein Blick wieder auf sie. »Sie sind eine intelligente Frau, Mrs. Richards. Ich mag intelligente Frauen. Die meisten Männer haben das nicht gern. Ihre Eigenliebe duldet keine Konkurrenz. Sie ziehen den lustigen Typ vor, der nicht einen selbständigen Gedanken fassen kann. Solche Weiber, die ständig plappern.«

»Elaine Davis?« erkundigte Veda sich.

Michael Hardin hielt noch immer die Rosenschale in den Händen. Er betrachtete sie stirnrunzelnd — dann ging er zurück und stellte sie wieder auf den Tisch. Darauf ging er zu seiner Staffelei und zog die Leinwand auf.

»Die liebe Elaine«, murmelte er.

Veda beobachtete ihn. »Ich glaube, allmählich begreife ich«, sagte sie. »Sie haben Elaines Gastfreiheit zu sehr strapaziert und sind nun hierhergekommen, um ein bißchen Ablenkung zu haben.«

»Ich kam her, um zu malen«, antwortete er scharf.

»Und ich habe mich inzwischen entschlossen, mich nicht porträtieren zu lassen, Mr. Hardin.«

Das schien er gar nicht zu hören. Er öffnete den Kasten mit den Farben und entnahm ihm ein Messer. Die Klinge funkelte in der Sonne. Dann begann er, ein Ende einer Zeichenkohle zurechtzuschaben. Ohne aufzublicken sagte er: »Das rote Kleid.«

Grobheit, Arroganz und Unverschämtheit zeichneten diesen Burschen in besonders reichem Maße aus. Sie hatte genug von ihm. Sie machte einen Schritt auf ihn zu, dann blieb sie stehen. Etwas glitt hinter der Leinwand hervor und fiel auf die Ziegelsteine unter der Staffelei. Michael Hardin bemerkte es nicht, aber Veda stand wie erstarrt, während er die Zeichenkohle zuspitzte. Es war die Skizze, die Elaine ihr vor einer Woche gezeigt hatte, nur hatte sie inzwischen eine auffallende Ergänzung erfahren: Quer über die Kehle verlief ein roter Strich.

»Im Nationalmuseum von Florenz stehen zwei unerhört fesselnde Statuen«, sagte Michael Hardin. »Haben Sie dem Nationalmuseum während Ihrer Flitterwochen einen Besuch abgestattet, Mrs. Richards?«

Die Nachmittagssonne schien warm auf die Terrasse. Hardin hatte den Rock ausgezogen und die Ärmel aufgerollt. Seine Arme waren kräftig wie die eines Hafenarbeiters. Er malte, als würde er von einem Dynamo angetrieben.

Veda saß auf dem schmiedeeisernen Stuhl und trug das rote Kleid. Das Kleid war zwar alt, aber schick. Ken hatte es ausgesucht. Immer hatte er alles für sie ausgesucht. Er hatte einen vorzüglichen Geschmack gehabt. Im tiefen Ausschnitt steckte eine zarte Mosaiknadel, die eine rote Rose auf schwarzem Untergrund zeigte. Ken hatte sie ihr während der Flitterwochen in Florenz gekauft. Michael Hardin hatte die florentinische Einlegearbeit erkannt und von den Museen zu sprechen angefangen.

»Vermutlich sind wir dort gewesen«, sagte Veda. »Ich kann mich nicht mehr erinnern. Das ist schon zehn Jahre her.«

»Und zudem waren es ja auch die Flitterwochen«, ergänzte Hardin. Er blickte sie prüfend an. Seine Lippen verzogen sich zu der Andeutung eines Lächelns. Sie spürte, wie sein Blick sie förmlich aufspießte. »Darum erinnern Sie sich nicht mehr. In dieser Galerie stehen zwei Statuen eines Bildhauers. Erstaunliche Skulpturen. Die Florentiner der Renaissance haben gern und hoch gewettet, Mrs. Richards. Sie hatten auch einen bemerkenswerten Sinn für Humor. Wenn ich zum Beispiel mit jemand wette, daß er mir bei lebendigem Leib die Haut abziehen darf und ich verliere — glauben Sie, daß man mir die Haut abziehen würde? Natürlich nicht! Dieser florentinische Kavalier jedoch ist eine solche Wette eingegangen — und er hatte sie verloren. Und deshalb stehen in diesem Museum jetzt zwei lebensgroße Plastiken von ihm — vorher und nachher. Mrs. Richards, habe ich Sie schon zu lange in dieser Stellung festgehalten? Sie sehen so blaß aus.«

Er war ein Teufel. Beinahe eine Stunde war verflossen, und immer noch wußte Veda nicht genau, ob er die Skizze auf dem Boden unter der Staffelei bemerkt hatte oder nicht. Vielleicht hatte er sie mit Absicht zu Boden flattern lassen.

»Das waren noch Zeiten«, fuhr er fort. »Wenn ich jemals wieder zur Welt kommen sollte, wäre die Renaissance genau das richtige Zeitalter für mich. Können Sie sich ausmalen, wie ich zu jener Zeit ausgesehen hätte, Mrs. Richards? Ein toller florentinischer Künstler — gefeiert — romantisch. Ich würde wie ein Prinz in einer herrlichen Villa gelebt haben ...«

Knapp unter seinem linken Knie war seine Hose geflickt. Man bemerkte es nicht sofort, erst wenn man ihn lange genug anschaute, fiel es einem auf. Es war eine stümperhafte Flickarbeit; sicher stammte sie von ihm selbst.

»Anerkannt und geachtet«, setzte er fort. »Und nicht gezwungen, hirnlosen, klatschsüchtigen Frauen zu schmeicheln.«

»Sie hassen die Frauen wohl, oder?«

Hardin antwortete nicht. Er malte weiter.

»Besonders Elaine Davis.«

Er trat näher an seine Arbeit heran und betrachtete sein Werk mit finsterem Blick.

»Worum ist es bei dieser gerichtlichen Vorladung denn gegangen, Mr. Hardin?«

»Ich verstehe nicht viel von Rechtssachen, Mrs. Richards. Es scheint sich um ein Scheidungsverfahren zu handeln ...«

»Schön, aber wo steckt die Schwierigkeit?«

»Vielleicht eine technische Frage — so nennen die Anwälte das doch, nicht wahr? Ist Ihr Mann nicht Anwalt gewesen, Mrs. Richards?«

»Nein, wie kommen Sie darauf?«

»Weil Anwälte sehr viel verdienen.«

»Manche«, gab Veda zu. »Aber nicht alle. Vermutlich geht es in diesem Beruf genauso zu wie bei dem meines Mannes. Er hat für alles, was er verdiente, sehr schwer gearbeitet. Seit er tot ist, arbeite ich genauso schwer.«

»Weshalb, Mrs. Richards?« Er fragte genau wie Elaine. Dann lächelte er. »Aber das ist genau die Frage, die Sie von einem dummen Maler erwarten, nicht wahr? Ich arbeite nicht. Ich spiele bloß mit meinen Farben, genau wie ein Kind. Ich habe nie studiert. Ich habe mich nie in Anatomiebücher vergraben, um den menschlichen Körper genauso gut zu kennen wie ein Chirurg. Das heißt, einem Chirurgen genügt es, wenn er den Körperbau und seine Funktionen kennt. Aber ein Künstler muß mehr wissen. Er muß die Poesie eines Körpers erfassen. Haben Sie gewußt, daß sich in einem Schildknorpel Poesie verbirgt, Mrs. Richards? Ich will es Ihnen zeigen ...«

Rasch trat er hinter der Staffelei hervor und legte ihr die Hand an die Kehle. Veda zuckte zurück. Die Schale mit den Rosen stand neben ihr auf einem Sockel. Sie streifte ihn mit der Schulter, und die Schale fiel zu Boden und zerschellte auf den Ziegeln. Bei dem splitternden Geräusch zog Hardin die Finger von ihrer Kehle zurück.

»Wie schade«, sagte er. »Sie werden verwelken.« Er bückte sich, hob eine Rose auf, hielt sie einen Augenblick, knickte dann den Stiel mit den Fingern und ließ sie fallen. Er ging an seine Staffelei zurück und wich dabei der auf dem Boden liegenden Skizze Elaines aus. Die Bewegung wirkte zu absichtlich. Sie konnte nicht zufällig sein.

Er spielte mit ihr. Das ganze Theater war seine Rache dafür, daß er arm war. Veda hatte das längst begriffen. Sie spürte noch immer den Druck seiner Finger an ihrer Kehle. Ihr Blick irrte wieder zu der Skizze zurück.

Sie mußte die Wahrheit erfahren.

»Sie haben mir eine Pause versprochen«, sagte sie.

Sie gab ihm gar keine Gelegenheit zu einer Entgegnung, sondern stand auf und lief zum Telefon im Wohnzimmer. Sie ließ die Klingel zehnmal schrillen, ehe sie den Hörer widerwillig niederlegte. Als sie sich umdrehte, stand Michael Hardin dicht hinter ihr.

»Sie hätten wissen müssen, daß sie nicht antworten kann«, sagte er.

Er mußte wahnsinnig sein.

Die Schatten wurden länger. Aber es war immer noch heiß. Hinter der Terrasse lag die Stadt. Groß, stumm und in weiter Ferne. Veda wurde sich dieser Entfernung plötzlich entsetzlich bewußt. Sie waren allein, wie Hardin es von Anfang an hatte haben wollen. Ja, er mußte wahnsinnig sein. Seine Worte waren die eines Irren.

»Ihr Mann hat das Haus also selbst entworfen?« fragte Hardin.

»Nein«, erwiderte Veda. »Wir hatten einen Architekten. Ken hat mit ihm gearbeitet.«

»Und was haben Sie entworfen?«

»Ich?«

»Nichts? Gar nichts? Oh, ich kenne die Männer der Frauen, die ich male, Mrs. Richards. Und ich kenne auch die Frauen. Hohle Frauen, wie Schaufensterpuppen. Geschmückt und aufgeputzt ziert man sich mit ihnen wie mit einer Ansteckblume. Ihre Tischmanieren sind ausgezeichnet, ihre Konversation ist witzig und anregend, aber nie, nie sind sie geistreich. Ihr Humor ist dementsprechend schal und bisweilen anzüglich; ihr Lachen wirkt gezwungen und schrill . . .«

Er beschrieb Elaine. Die ganze Zeit über beschäftigten sich seine Gedanken mit ihr. Dazu diese Skizze auf dem Boden — so betont unabsichtlich und so gewollt fallengelassen, daß sie nicht zu übersehen war.

»Vielen Dank«, sagte Veda.

Er hob den Kopf und sah sie mit strahlendem Blick an.

»Ich spreche doch nicht von Ihnen, Mrs. Richards. Sie plappern weder, noch sind Sie witzig. Sie sind eine Gefangene, Sie leben in einem Sarg.«

»Was sagen Sie da?«

»Deshalb habe ich Sie rot gemalt. Rot ist die Farbe des Lebens. Ich muß Sie aus diesem Sarg herausholen.«

Hardin stand noch immer in der Sonne. Er schwitzte. Die Schweißperlen sammelten sich in seinen Brauen und rannen ihm über das faltige Gesicht. Auf Veda wirkte er immer unheimlicher, aber sie war unfähig, von ihm fortzulaufen. Das war das Merkwürdige daran. Sie mußte versuchen, ihn auszuhorchen.

»Ich bin mir nicht bewußt, in einem Sarg zu leben«, sagte sie.

»Die wenigsten Menschen wissen das«, antwortete er. »Sie stopfen ihr Leben mit Verabredungen, Plänen und Rendezvous voll. Sie sind emsig wie ein surrender Bienenschwarm. Die Männer verdienen möglichst viel Geld, damit sie sich Frauen kaufen können, die dann geduldig auf ihren Tod warten . . .«

»Mr. Hardin!«

»Sind Sie nicht froh, daß er tot ist?«

»Nein! Ich habe meinen Mann geliebt.«

»Pflichtschuldigst?«

»Wie?«

»Pflichtschuldigst. Man hat Sie dazu erzogen, Ihren Mann zu lieben. Von Kindheit an wurden Sie dazu erzogen, genauso wie man Ihnen das Abc beigebracht hat und daß zwei und zwei vier ist.«

»Ich weiß nicht, wovon Sie sprechen«, sagte sie verärgert.

»Davon, weshalb Sie wollten, daß ich hierherkomme.«

»Ich wollte, daß Sie . . .«

»Etwa nicht, Mrs. Richards?«

Sie konnte einfach nicht antworten.

Das Haus lag wie eine halbdunkle Höhle hinter ihr. Einmal hatte sie ihren Platz verlassen und war ans Telefon gegangen; er war ihr gefolgt. Angenommen, sie stand jetzt auf, ging zur Tür, öffnete sie und lief auf die Straße hinaus. Würde er ihr wieder folgen? Sie war gut zwölf Meter von der Haustür entfernt. Dazwischen lagen die Glastür, das Wohnzimmer und die Diele. Wenn sie ganz still saß, begnügte er sich vielleicht mit seinen verrückten Reden. Aber wenn sie sich bewegte . . .

Die Türglocke läutete. Hardin hörte zu malen auf.

»Was ist das?« fragte er.

Es läutete noch einmal.

»Erwarten Sie jemand? Nein, ich gehe . . .«

Er versuchte, sich an ihr vorbeizudrängen, aber Veda war bereits beim ersten Läuten aufgesprungen. Sie war vor ihm an der Tür, riß sie weit auf und sah Jerry vor sich.

»Ihre Zeitung, Mrs. Richards.«

»Oh, Jerry«, sagte sie. »Ich bin so froh, daß du geläutet hast. Ich hole nur meine Geldbörse und . . .«

»Das haben Sie vorige Woche getan, Mrs. Richards.«

»Wieso vorige Woche?«

»Sie bezahlen nur einmal im Monat. Ich wollte bloß Ihre Zeitung abliefern. Oh, malen Sie da draußen?«

Jerry wollte ins Zimmer treten. Er starrte zur Terrasse hin. Aber Hardin legte ihm die Hand auf die Brust und stieß ihn zurück.

»Wir arbeiten«, sagte er entschieden.

»Ich wollte bloß sehen . . .«

»Wir müssen uns beeilen, solange es noch hell ist.«

»Okay, Mister. Okay.« Jerry sah Hardin prüfend an, zuckte die Schultern und schlich zur Tür hinaus. »Bis auf nächste Woche, Mrs. Richards.«

Hardin schloß die Tür.

»Die Zeitung nehme ich«, sagte er.

Sie lag als längliche, lose Rolle in ihren Händen. Sie hielt sie fest. Grob entriß er sie ihr.

»Das Licht«, mahnte er. »Ich muß weiterarbeiten.«

Jedes Erlebnis durchläuft verschiedene Phasen. Veda war anfangs erschrocken, als sie Hardin sah, dann hatte sie Angst bekommen; doch jetzt erfüllte sie unbändiger Zorn.

»Sie sind verkrampft«, sagte er. »Sie müssen sich entspannen.«

»Ich bin müde«, antwortete Veda.

»Stammen die Linien davon?«

»Welche Linien?«

»Um Ihren Mund und zwischen den Augen. Oh, ein Maler hat gelernt, zu sehen, Mrs. Richards. Ich sehe, wie Sie es darauf anlegen, ständig beschäftigt, ständig in Trab zu sein. Bestimmt nehmen Sie Schlafmittel.«

»Ab und zu.«

»Ich würde eher sagen, häufig. Immer öfter und öfter. Und Ihr Bekanntenkreis schmilzt ständig stärker zusammen.«

»Ich arbeite täglich mit Menschen.«

»Aber sie gehen Ihnen auf die Nerven, nicht wahr?«

»Ich lasse mich nicht gern analysieren, Mr. Hardin.«

»Ich muß malen, was ich sehe.«

»Sehen Sie nicht bloß, was Sie sehen wollen?«

Hardin blickte auf und lächelte.

»Touché,« sagte er.

»Was Sie selbst denken«, setzte Veda fort. »Was Ihnen der eigene Blick vorspiegelt.«

»Sie schlägt zurück«, sagte Hardin. »Gut. Ich wußte ja, daß Rot Ihre Farbe ist.«

»Und was Sie selbst wünschen.«

Sie konnte nicht mehr höflich bleiben. Der Bann war gebrochen. Sie stand auf. Plötzlich wurde ihr klar, wie sehr sie sich gefürchtet hatte. Doch jetzt fürchtete sie sich überhaupt nicht mehr. Sie konnte wieder nüchtern denken. Anfangs hatte sie bezweifelt, ob Elaine so weit gehen würde. Doch sie wußte nun, daß sie zu allem fähig sein würde.

»Und was Elaine wünscht«, sagte sie.

»Elaine?«

»War das ganze Theater denn nicht ihre Idee? Wahrscheinlich sogar die Skizze mit der aufgeschlitzten Kehle.«

Er ließ seine Palette sinken und beobachtete sie interessiert.

»Und diese entzückende Geschichte von dem Mann, dem man die Haut abgezogen hat — und die dramatische Szene mit Ihren Fingern an meinem Hals —, ja selbst mein Telefonanruf, bei dem Elaine den Hörer nicht aufnehmen durfte — das war doch alles verabredet.«

»Verabredet?«, wiederholte er.

»Sie haben zu dick aufgetragen, Mr. Hardin. Ihr Spiel war zu leicht zu durchschauen. Elaine hat Sie zu mir geschickt, damit Sie mich beunruhigen und beleidigen sollen — mich, meine Art zu leben, mein Haus, meinen Mann . . .«

»Der zu Ihrem Glück tot ist.«

Veda brach ab. Schon einmal hatte sie ein ähnliches Gespräch abrupt beendet. Das war vor einer Woche beim Mittagessen gewesen, als Elaine ihr eine Frage gestellt hatte, auf die es keine Antwort gab.

»Warum fürchtest du dich, ein neues Leben zu beginnen?«

»Um keinen Mann trauert eine Frau so lange; es sei denn, sie hätte ihn aus ganzem Herzen gehaßt«, fügte Hardin hinzu. »So gehaßt, daß kein anderer seinen Platz einnehmen darf. Sie nennen das Treue. Aber ist diese Treue gegenüber einem Toten nicht eher eine Treulosigkeit gegen das Leben?«

»Da steckt Elaine dahinter, daß Sie mir das sagen!«

»Ihr Verhalten ist eine Art edelmütiger Egoismus, Mrs. Richards. Ein toter Mann stellt keine Ansprüche.«

Er hatte ihr die Hände auf die Arme gelegt, aber nicht seine Hände waren es, die sie festhielten, sondern seine Worte. Sie waren ätzend wie Säure.

Einen entsetzlichen Moment lang standen sie dicht beisammen.

»Mrs. Richards! Mrs. Richards!«

Veda riß sich los.

»Da«, sagte Hardin wütend, »ich habe es ja geahnt, daß Jungs über die Felsen klettern können.«

Es war Jerry. Er stand schmutzig und nach Atem ringend am Rande der Terrasse.

»Ich wollte« — er setzte ab und starrte Hardin an —, »ich wollte die Zeitung holen.«

»Warum?«

»Weil ich mich geirrt habe und Ihnen die Frühausgabe gebracht habe. Sonst bringe ich Ihnen immer die Nachtausgabe, Mrs. Richards. Wenn Sie bitte auf der ersten Seite nachsehen würden, ob sie oben einen blauen Streifen trägt . . .«

Hardin hatte die Zeitung auf dem unbenützten Mittagstisch liegengelassen. Als Jerry auf den Tisch zuging, lockerte Hardin seinen Griff um Vedas Arm und ging auf den Jungen zu. Doch plötzlich drehte er sich blitzschnell um, sprang mit einem Satz über den Rand der Terrasse und kletterte dann die Felsen hinab. Unten rief jemand laut. Ein anderer schrie: »Da ist er! Festhalten!«

Veda wollte zum Rand der Terrasse gehen, aber Jerry zog sie zurück.

»Das ist die Polizei«, sagte er. »Ich habe sie gleich geholt, nachdem ich den Kerl und das Malzeug hier draußen gesehen hatte. Gehen Sie lieber nicht nach unten. Sonst bekommen Sie am Ende noch einen Schuß ab.«

»Wieso einen Schuß?« fragte Veda.

»Aber es steht doch in Ihrer Zeitung, Mrs. Richards. Das über die Dame, der die Kehle durchgeschnitten worden ist . . .«

Als Jerry die Zeitung aufschlug, sah Veda, wovor ihre Phantasie zurückgeschreckt war. Elaines Foto und die Überschrift: *Wohlhabende geschiedene Frau ermordet!*

»Auf den Innenseiten ist auch eine Zeichnung von diesem Maler«, sagte Jerry. »Sie hat sich von ihm malen lassen. Gestern abend haben die Nachbarn gehört, wie die beiden sehr laut miteinander geredet haben. Er hat sie gebeten, ihn zu heiraten, und sie hat ihn ausgelacht. Heute morgen hat man sie mit durchschnittener Kehle aufgefunden.«

Unwillkürlich fuhr Veda sich mit der Hand an die Kehle. Ihr war, als fühlte sie Hardins Finger. Und sie hatte alles für einen Trick Elaines gehalten, mit dem sie aufgeschreckt werden sollte. Sie ließ die Hand wieder sinken und griff nach Jerry. Sie wollte etwas Warmes, Junges, Lebendiges fühlen. Aber Jerry war vor die Staffelei getreten und stand davor wie angewurzelt.

»Donnerwetter!« sagte er.

Sie hörte ihn wie aus weiter Ferne.

»Donnerwetter, ist das ein Bild!«

Sie ging zu Jerry hinüber. Ein Malerauge sieht alles, hatte Hardin ihr gesagt.

Er hatte sie in Rot gemalt. Die Farbe des Kleides paßte zu dem Blut, das aus ihrer Kehle sickerte. Das Gesicht über dem rottriefenden Hals fiel durch eine Besonderheit auf: Es hatte keinen Mund.

Strafarbeit

Miß Compton war hübsch, bedeutend hübscher als jede andere Lehrerin in der Schule und jedes weibliche Wesen, das er bisher sah. Seit das neue Schuljahr begonnen hatte, konnte Philip an nichts anderes mehr denken.

»Philip, hast du mich gehört?« fragte sie unerwartet.

Er spürte, wie ihm das Blut in die Wangen schoß.

»Nein — Miß Compton«, stotterte Philip verlegen.

»Dann wirst du so freundlich sein und zur Tafel kommen und hundertmal schreiben: Ich soll in der Schule aufpassen.«

Philip gehorchte. Er stand an der Tafel und schrieb, bis die Kreide in seiner Hand beinahe aufgebraucht war, während seine Klassenkameraden ihre Rechenaufgaben fortsetzten.

Als er fertig war, ging Philip auf seinen Platz zurück und verschlang Miß Compton weiter mit seinen Blicken.

Nur der neben ihm sitzende Allan Harbach wußte, wie es um Philip stand.

»Philip liebt Miß Compton«, sagte er so leise, daß kein anderer es hören konnte.

Philip streckte die Hand nach ihm aus und versetzte ihm einen Puff. Was Allan sagte, stimmte zwar, aber er wollte es nicht hören, denn dadurch bekam es einen gemeinen Beigeschmack.

»Warum hast du das getan?« fragte die Lehrerin und kam auf ihn zu. Sogar wenn sie sich ärgerte, war sie noch hübsch.

Philip ließ den Kopf hängen.

»Das war sehr ungehörig von dir«, sagte sie, als sie das Blut an der Lippe des anderen Jungen bemerkte. »Allan, warum hat Philip dich geschlagen?«

»Das sage ich nicht, Miß Compton. Ich kann Philip nicht verraten, weil ich kein Petzer bin.«

Kein Wunder, daß Philip zur Tafel zurückkehrte. Nur schrieb er diesmal:

Ich soll Allan nicht schlagen.

Ich soll Allan nicht schlagen.

Ich soll —

Als er wieder auf seinem Platz saß, flüsterte Allan ihm zu: »Das zahl ich dir heim, Philip.«

Er verstand es, so zu tuscheln, daß Miß Compton es nicht hörte. Philip war weniger geschickt. Sein Flüstern führte ihn erneut an die Tafel zurück. Seine Strafarbeit lautete diesmal:

Ich soll in der Schule nicht schwätzen.
Ich soll in der Schule nicht schwätzen.
Ich soll in —

Und Allan? Der wurde Klassenaufsicht.

»Alles herhören!« sagte Miß Compton. »Allan ist eure Klassenaufsicht. Er wird oben an der Treppe stehen und jedes Schwätzen oder jeden anderen Verstoß gegen die Schulregeln melden.«

Philip versuchte, sich auf der Treppe vorschriftsmäßig zu benehmen. Sein Gefühl verriet ihm, daß Allan es darauf anlegen würde, ihm das Leben sauer zu machen.

Und er hatte sich nicht geirrt. Er schrieb:

Ich soll auf der Treppe keine Abfälle wegwerfen.
Ich soll nicht pfeifen.
Ich soll nicht ausspucken.

Wer hatte das denn getan? Philip bestimmt nicht. Aber es war einfacher, an der Tafel zu schreiben, als mit Allan zu streiten. Und wer wollte Miß Compton überhaupt wütend machen?

»Sag, Allan, willst du diese Füllfeder haben? Ich habe zwei.«

»Wer braucht schon deinen Füller?«

»Wie wär's mit meinem Fahrrad? Du kannst den ganzen Nachmittag damit fahren.«

»Behalt dein altes Fahrrad.«

»Was hältst du von einem Ballspiel? Ich habe einen ganz neuen Ball, der ist prima. Springt wunderbar.«

»Mit dir spiele ich nicht, und wenn du den einzigen Ball auf der ganzen Welt hättest.«

Philip war bereit aufzugeben. Was konnte er Allan nach Schulschluß noch anbieten?

»Du, verprügle mich, Allan, dann sind wir quitt.«

Allan lachte ihn aus und ging.

Dann kam die schwere Mathematikarbeit, und Philip hatte den Eindruck, Allan zeige sich in der Not nun doch als Freund. Allan schob ihm seine Prüfungsarbeit hin, direkt unter die Nase. Kein Mensch konnte einer solchen Versuchung widerstehen. Aber anschließend mußte er schreiben:

Ich soll bei der Prüfung nicht schwindeln.
Ich soll bei der Prüfung nicht schwindeln.

Es dauerte nicht lange, da lud Miß Compton einen von Philips Eltern vor.

»Vielleicht sollte ich hingehen«, sagte Philips Vater.

»Unsinn«, meinte seine Mutter. »Bestimmt handelt es sich um kein schweres Verbrechen. Wozu sollst du dir eigens im Büro freinehmen?«

Zutiefst beschämt stand Philip vor den beiden Frauen. »Ich werde versuchen, mich zu bessern«, versprach er. »Ich werde es versuchen.«

»Ich lasse Ihren Sohn jedesmal eine Strafarbeit an die Tafel schreiben, wenn er unartig gewesen ist«, sagte Miß Compton.

»Ach ja, hundertmal«, sagte Mrs. Gersten lächelnd. »Das hat es zu meiner Zeit auch gegeben.«

»Die Unterrichtsmethoden haben sich in vieler Hinsicht verändert, aber einige Überlieferungen gelten auch heute noch als sehr nützlich.«

»Sicher. Erst gestern habe ich zu meinem Mann gesagt . . .«

Später, zu Hause, sagte Philips Mutter zu ihrem Sohn: »Du hast aber eine sehr hübsche Lehrerin.«

»Ich weiß«, antwortete er und spürte, wie er rot wurde. Er wiederholte sein Versprechen: »Ich werde mich bemühen, mich zu bessern.«

Es nützte nichts. Ständig mußte er für Vergehen büßen, die Allan ihm anhängte. Er schrieb an der Tafel, bis seine Finger schmerzten.

»Die Schulbehörde schickt uns zum Glück genügend Kreide«, bemerkte Miß Compton.

Ich soll im Treppenhaus nicht schreien.
Ich soll nichts an die Wände kritzeln.
Ich soll nicht zwei Stufen auf einmal nehmen.
Ich soll nicht rennen.

Zumindest wurde seine Schrift ordentlicher. Er hoffte, daß sie es bemerkte.

Eines Morgens kam Philip ein bißchen zu spät zur Schule und das Treppenhaus war leer. Nur Allan stand wartend am obersten Treppenabsatz und grinste übers ganze Gesicht.

»Eigentum der Schule kaputt machen, wie?« Er kicherte, zerrte

Philip die Bücher aus der Hand und riß Seiten heraus, als Philip versuchte, an ihm vorbeizukommen.

Es hatte noch nicht zum zweitenmal geläutet. Darum ging es noch recht laut im Hause zu; so hörte niemand etwas.

»Du kommst aber spät«, tadelte Miß Compton, als er die Klasse betrat, aber der Junge ging sofort zur Tafel.

Er griff nach einem Stück Kreide und begann zu schreiben.

»Philip, geh auf deinen Platz, bis ich dir sage, was du schreiben sollst«, sagte die Lehrerin. Doch dann brach sie ab, als sie sah, was Philip in seiner kindlichen Schrift auf die schwarze Tafel schrieb:

Ich darf Allan nicht die Treppe hinunterstoßen.
Ich darf Allan nicht die Treppe hinunterstoßen.
Ich darf —

Er hatte es schon zehnmal geschrieben, bis sie sich endlich aufraffte, auf den Gang hinauslief und über das Geländer starrte.

Die Kreide kreischte unablässig in ihren Ohren.

Inventur

Der Lastwagen aus Edalia sollte um elf Uhr kommen, aber da Johnny Bree keine Uhr hatte, konnte er die Zeit nur annähernd bestimmen. Keinem von ihnen war der Besitz einer Uhr gestattet. Ihr Stundenplan wurde von den Befehlen und Pfiffen der Wächter eingeteilt. Doch an jenem heißen sonnigen Vormittag, als Johnny wartend herumstand und zu dem fernen Getreidesilo blickte, an dem die Straße nach Edalia vorbeiführte, hätte er eine Uhr dringend brauchen können.

Er ging zu dem Wächter Fisher hin, der mit dem Rücken zu ihm stand. Der Wächter drehte sich blitzschnell um. Doch als er sah, wer hinter ihm war, zeigte er ein freundliches Gesicht. Mit Johnny gab es nie Ärger.

»Was gibt's, Schöner?« fragte er.

»Mein Magen«, antwortete Johnny. Er drückte seine Finger an sein blaues Hemd und verzog sein Gesicht. »Ich habe einen Krampf oder so was. Könnte ich in den Schuppen gehen und mich dort ein Weilchen hinlegen?«

Fisher sah ihn einen Moment lang mit leeren Augen an.

»Aber klar, geh nur«, entschied er sodann.

Johnny bedankte sich und betrat den Schuppen.

Drinnen war es dunkel und kühl. Es duftete nach Erde und Getreide. Johnny ging zum Ausguß und machte sich das Gesicht naß. Er betrachtete seine tropfenden Hände und sah, daß sie zitterten. In Gedanken hatte er diesen Augenblick seit Wochen geprobt, aber jetzt war er nervös und hatte Angst vor dem Mißlingen.

Fünf Minuten später hörte er den Lastwagen. Rasch schob er eine Saatmaschine in die finsterste Ecke und versteckte sich dahinter. Gleich mußte der Lastwagen draußen bremsen und mit dem Abladen beginnen. Er hatte diesen Vorgang einen Monat lang beobachtet. Sobald die Kisten im Schuppen verstaut waren, rauchten der Fahrer und sein Gehilfe mit Fisher oder einem der anderen Wächter eine Zigarette. Diese wenigen Minuten mußte er ausnützen.

Der Lastwagen hatte angehalten. Die Schuppentür wurde geöffnet. Die beiden Männer luden die Kisten ab. Schließlich stand auch die letzte Kiste an ihrem Platz. Sie schlossen die Tür und gingen.

Johnny wartete, bis alles still war. Dann schlich er zur Tür. Er öffnete die Tür einen Spaltbreit und sah, daß der Anhänger offen war.

Mit drei mächtigen Sätzen erreichte er den Anhänger, kletterte hinein und kroch auf allen vieren bis in die finsterste Ecke. Hinten lag eine Zeltplane. Er zog das schwere feuchte Leinen über sich.

Jemand schlug die Ladetüren zu. Er fühlte das leise Schwanken des Lastwagens, als die beiden Männer ins Führerhaus stiegen. Er lauschte und betete. Als der Motor endlich ansprang, hätte er aus Erleichterung am liebsten geweint. Die Fahrt hatte begonnen.

An einer Stelle, die seiner Schätzung nach etwa zehn Meilen von der Farm entfernt sein mußte, stieß er die Ladetüren auf und besah sich die Straße. Er wartete, bis der Lastwagen bergan fuhr. Dann sprang er ab.

Erika Lacy war äußerst verdrossen. Sie versuchte ihre gedrückte Stimmung und schlechte Laune durch einen starken Druck auf das Gaspedal zu verscheuchen. Die freie Strecke der Straße zwischen Sycamore Hills und der Stadt schien sehr geeignet dafür, das letzte aus einem Wagen herauszuholen. Erika dachte nicht an die Ermahnungen ihres Onkels Bell.

»Wenn man wütend ist, soll man weder trinken noch Auto fahren«, hatte er gesagt; und Onkel Bell wußte, was Wut war. Er war ein Experte auf diesem Gebiet. Er war ein schlechtes Vorbild.

Erika, die an Huey Brockton und ihren Streit von gestern abend im Tanzlokal von Point Placid dachte, machte das gleiche grimmige Gesicht, das sie so oft bei ihrem Onkel gesehen hatte. Das rot-goldene Haar flatterte im Luftzug des offenen Wagens. Sie sah wie ein Feuerwerk knapp vor der Explosion aus.

Sie hatten wegen Onkel Bell gestritten. Huey hegte eine tiefe Abneigung gegen Erikas Vormund. Woher dieses Vorurteil stammte, lag klar auf der Hand. Sein Vater, Howard Brockton, war Onkel Bells Kompagnon und sein größter Widersacher. Ihr ständiger Hader versorgte Point Placid seit drei Jahren mit einem unerschöpflichen Gesprächsthema.

Weit vorn überquerte ein Lastwagen mit Anhänger, der aus Richtung Edalia kam, die Straße. Unmutig verlangsamte sie das

Tempo. Durch das angespannte Fahren hatte sich ihre Laune etwas gebessert. Sie dachte an das Mittagessen, zu dem Onkel Bell sie in der Stadt eingeladen hatte. Er hatte ihr versprochen, sie in den exklusiven Iron Club zu führen, der ausschließlich Männer zu seinen Mitgliedern zählte. Sie freute sich darauf. Sie war beinahe schon wieder in guter Stimmung. Da erblickte sie die irgendwie rührend wirkende Gestalt eines jungen Mannes, der winkend am Straßenrand stand. Sie hielt an. Damit mißachtete sie eine weitere Ermahnung ihres Onkels Bell: Nimm nie einen Autostopper mit!

»Fahren Sie in die Stadt?« fragte der junge Mann.

Er hinkte beim Näherkommen und lächelte sie mit seinem staubverkrusteten Gesicht an. Er war mit einem verschossenen blauen Monteuranzug bekleidet.

»Ja«, sagte sie. Dann aber stiegen doch Zweifel in ihr auf und sie fragte: »Was tun Sie hier so weit draußen?«

»Panne gehabt«, sagte er und öffnete den Wagenschlag.

Er setzte sich neben Erika. Sie unterzog ihn einer raschen Musterung, ehe sie weiterfuhr. Er war ein hübscher junger Mann mit einem verschmitzten, ungezwungenen Lächeln. Er hatte die gesunde braune Hautfarbe, die von der Arbeit unter freiem Himmel stammen mußte.

»Ihnen ist beim Marschieren wohl ganz schön heiß geworden«, sagte sie freundlich. »Wir können bei der Tankstelle anhalten. Vielleicht kann man Ihnen dort Hilfe für Ihren Wagen schicken und Sie können etwas trinken.«

»Ich will gar keine Hilfe holen«, sagte er lachend.

»Warum nicht?«

»Weil ich den alten Blechkübel verrotten lasse. Ich will diesen Schraubenhaufen nie mehr sehen.«

Auch Erika lachte. »Im Handschuhfach liegen saure Drops. Vielleicht erfrischen die Sie ein bißchen.«

»Danke«, sagte er und drückte auf den Knopf des Handschuhfaches. »Ich hatte schon geglaubt, ich mußte den ganzen Weg bis zur Stadt zu Fuß gehen. Ich habe einen Posten drüben in Delmar aufgegeben, und will mich in Point Placid umsehen, ob ich dort was Besseres finden kann.«

»Sind Sie Farmer?«

»Nicht mehr«, sagte er leidenschaftlich. »Nicht mehr.« Er

schraubte den Deckel der Dropsdose auf und hielt sie ihr hin. »Wollen Sie welche?«

Sie wollte schon nein sagen, als sie plötzlich eine bedrohliche Metallspitze an ihren Rippen spürte. Sie erschrak so, daß sie beinahe das Lenkrad losgelassen hätte.

»Ganz ruhig«, sagte der junge Mann. »Das Ding ist nicht besonders scharf, aber für eine Verletzung genügt es. Fahren Sie brav an den Straßenrand. Schreien Sie nicht, dann wird Ihnen auch nichts geschehen.«

»Was soll das?« fragte sie empört.

»Ich habe gesagt, Sie sollen anhalten, Miß. Ich möchte Ihnen nicht weh tun; Sie sind sehr nett gewesen.« Er verstärkte den Druck, und Erika, in deren Augen Tränen standen, stellte den Fuß schließlich auf die Bremse und hielt den Wagen an. Als das Auto stand, sah sie auf die Hand ihres Beifahrers. Sie erkannte, daß er als Waffe einen kleinen Schraubenzieher benützte, den er aus ihrem Handschuhfach genommen hatte.

»Eine feine Art haben Sie, sich für eine Gefälligkeit zu bedanken«, sagte sie.

»Steigen Sie aus, Miß!«

»Kommt gar nicht in Frage!«

»Dann werde ich Sie höchstwahrscheinlich umbringen müssen.«

Sie starrte ihn an. Er wirkte völlig gelassen. Diese Ruhe ängstigte sie. Sie nahm an, daß sie außerhalb des Wagens sicherer sein würde. Sie stieg also aus und wartete auf seinen nächsten Befehl.

»Werfen Sie die Tasche her!«

Sie schleuderte sie in den Wagen.

»Viel werden Sie nicht darin finden«, sagte sie verächtlich.

Er glitt hinter das Lenkrad und legte die Handtasche neben sich. Dann löste er die Handbremse und trat den Gashebel durch. Der Wagen schoß davon. Zurück blieben nur Staubwolken.

»Sie — Sie Scheusal!« schrie Erika ihm nach. Sie begann aus Verzweiflung und Wut zu weinen. Doch schließlich beruhigte sie sich wieder und versuchte zu überlegen, was sie nun tun sollte. Bis nach Point Placid waren es noch acht Meilen. Sie hatte kaum Aussichten, auf dieser verlassenen Autostraße mitgenommen zu werden. So setzte sie sich in Marsch.

Nach fünf Minuten war ihr klar, daß Bleistiftabsätze sich nicht für eine harte Betonstraße eignen. Sie zog die Schuhe aus und wanderte barfuß weiter. Dabei machte sie sich die bittersten Vorwürfe, nicht auf Onkel Bells guten Rat gehört zu haben.

In der Ferne sah sie eine verheißungsvolle Staubwolke. Sie kam von einem Auto, das in die entgegengesetzte Richtung fuhr; trotzdem stellte sie sich in die Mitte der Straße und begann wie verrückt zu winken. Als der Wagen keine hundert Meter mehr entfernt war, erkannte sie, daß es ihr eigenes Auto war.

Der junge Mann fuhr ein paar Meter an ihr vorbei und wendete dann. Er beugte sich aus dem Wagen.

»Tut mir leid«, sagte er.

Sie humpelte über die Straße. Er stieg aus und wartete wie ein geprügelter Hund.

»Wie gesagt, es tut mir leid«, murmelte er. »Ich weiß nicht, was in mich gefahren ist. Die Hitze muß mir zu Kopf gestiegen sein.«

Sie zog die Schuhe an und setzte sich wieder hinter das Lenkrad. Aber sie startete nicht.

»Ich verstehe Sie nicht«, sagte sie.

»Da gibt es nichts zu verstehen. Ich bin kein Dieb, ich habe nur einen Fehler gemacht. Ihre Handtasche habe ich nicht angerührt. Wollen Sie sich davon überzeugen?«

Sie nagte an ihrer Lippe. »Ich vertraue Ihnen.«

»Dazu haben Sie keine Ursache.«

»Immerhin sind Sie zurückgekommen«, antwortete Erika. »Das ist wohl Grund genug.« Sie drehte ihm den Kopf zu und sah ihn wütend an. »So steigen Sie schon ein. Das Gehen wird Ihnen keinen Spaß machen. Mich hat es auch nicht erfreut.«

»Ist das Ihr Ernst?«

Sie legte den ersten Gang ein. Rasch öffnete der Mann den Wagenschlag und setzte sich neben sie.

»Ich heiße Johnny Brennan«, sagte er.

Sie fühlte, daß er reden wollte. Ihr Schweigen mußte ihn am ehesten dazu veranlassen. Erika wußte, daß sie ihm gern zuhören würde.

»Ich habe so was noch nie getan«, sagte er. »Wahrscheinlich bin ich durchgedreht, als mein alter Karren zu Bruch ging. Ich konnte an nichts anderes denken, als daß ich fort müßte, egal wohin, nur fort von hier.

Als ich meine Stellung in Delmar aufgegeben habe, da habe ich mir geschworen, nie wieder auf einer Farm zu arbeiten. Ich bin nicht dumm. Auf einer Farm kann man nicht denken. Man kommt sich wie das liebe Vieh vor...«

»Heutzutage arbeiten sogar Leute auf Farmen, die ein College absolviert haben.«

Er lachte bitter. »Aber nicht auf einer solchen Farm. Dort war alles schmutzig und abscheulich. Ich will endlich einmal einen weißen Kragen haben. Ich weiß bloß nicht, wer mich einstellen wird. Wohin ich auch komme, sieht man mir die Landarbeit an. Und das alles nur wegen des Krieges...«

»Welches Krieges?«

»Ich meine den Krieg in Korea. Sechzehn Jahre war ich alt, als ich mich zum Militär meldete. Ich habe mich älter gemacht, nur um von daheim fortzukommen. Mit achtzehn war ich drüben am Heartbreak Ridge. Ich war ein dummer Junge. Ich hatte keine Ahnung, worum es überhaupt ging. Das Ende vom Lied war, daß man mich zusammengeschossen hat.«

»Das tut mir leid«, sagte Erika leise.

»Dabei habe ich noch Glück gehabt. Das Krankenhaus war immer noch besser als die Front, nur hat der Krieg für mich sehr lange gedauert. Die haben acht Jahre gebraucht, um mich wieder zusammenzuflicken. Immerhin bin ich jetzt wieder ganz. Als ich entlassen wurde, war ich blaß und dünn und hatte dringend Bewegung an frischer Luft nötig. Die Militärärzte empfahlen mir Arbeit im Freien. Sie haben mir die erste Anstellung auf einer Farm verschafft. Doch von Anfang an bemühte ich mich, von dieser Arbeit wieder loszukommen. Verstehen Sie mich?«

»Ich glaube schon«, sagte Erika. »Vielleicht bin ich nicht Ihrer Meinung, aber ich kann mir vorstellen, wie Ihnen zumute ist. Mein Großvater war Farmer, aber mein Onkel, der Bruder meines Vaters, hat das Landleben immer gehaßt. Mit achtzehn Jahren ist er von der Farm ausgerissen.«

»Und was ist aus ihm geworden?«

»Es ist ihm nicht schlecht gegangen. Heute gehört ihm die Lacy-Maschinengesellschaft in Point Placid. Das heißt, ihm und seinem Teilhaber.«

Johnny stieß einen Pfiff aus.

»Dorthin wollte ich fahren, bevor Sie mich anhielten«, sagte Erika. »Ich wollte mit Onkel Bell zu Mittag essen. Vor Ihrem Auftritt als Straßenräuber.« Sie lächelte. »Ich fürchte, in dem Beruf werden Sie es nicht weit bringen.«

»Sie haben recht.« Johnny grinste. »Wenn ich natürlich gewußt hätte, daß Sie eine Tochter aus reichem Hause sind, wäre ich härter gewesen. Bestimmt tragen Sie eine Million Dollar in Ihrer Handtasche.«

»Da irren Sie sich gewaltig. Ich habe genau dreißig Dollar bei mir.«

»Immerhin haben Sie dreißig Dollar mehr als ich. Ich habe in Delmar nicht gewartet, bis man mir den restlichen Lohn ausbezahlt. Ich besitze nicht mal einen anständigen Anzug.«

Erika sah ihn an. Dann griff sie impulsiv nach ihrer Handtasche und warf sie ihm auf den Schoß.

»Machen Sie auf«, sagte sie. »Nehmen Sie sich das Geld.«

»Nein«, sagte Johnny entschieden. »Ich wollte Sie nicht anbetteln. Wenn ich es auf Ihr Geld abgesehen hätte, dann würde ich es gestohlen haben.«

»Ich will aber, daß Sie es nehmen«, antwortete Erika. »Wenn Sie Arbeit finden wollen, müssen Sie einen anständigen Anzug haben.«

»Ich wüßte ohnehin nicht, wo ich hingehen sollte.«

Erika zögerte.

»Ich wüßte eine Firma«, sagte sie. »Ich stehe mit dem Chef auf gutem Fuß. Was für Arbeit Sie da machen müßten, weiß ich allerdings nicht. Vielleicht müssen Sie die Fußböden kehren. Jedenfalls könnte ich ein gutes Wort für Sie einlegen.«

Vor ihnen glitzerte in der Sonne der Turm des Point Placid Hotels. Die kleineren Fabrikgebäude und Bürohäuser befanden sich direkt daneben.

»Sie meinen Ihren Onkel?« fragte Johnny. »Würden Sie das für mich tun?«

»Beim Essen ist er meistens ansprechbar«, sagte sie leichthin. »Fragen kann ja nichts schaden. Nehmen Sie das Geld schon. Kaufen Sie sich einen grauen Anzug. Das ist die Lieblingsfarbe meines Onkels. Ich werde ihm sagen, daß Sie um drei Uhr in seiner Direktion vorsprechen werden. Er wird Sie erwarten.«

»Das ist verrückt. Sie sind mir nichts schuldig.«

»Nein, aber Sie schulden mir dreißig Dollar. Und die will ich wieder, sobald Sie eine feste Stellung haben.« Sie lachte. »Die Adresse ist Hauptstraße 300. Und seien Sie pünktlich. In diesem Punkt versteht Onkel Bell keinen Spaß. In einigen anderen Punkten übrigens auch nicht.«

Johnny Brennan sah stirnrunzelnd auf die Tasche. Dann öffnete er sie.

Die Lacy-Maschinengesellschaft lag am Ende der Hauptstraße. Das Fabrikgelände wurde von einem hohen Drahtgitter eingezäunt, vor dem mehrere Männer in Uniform Wache hielten. Die Fabrik selbst sah wie ein Dominospiel aus; ein halbes Dutzend der flachen Gebäude stand im rechten Winkel zueinander. Mit einem schlechtsitzenden grauen Anzug bekleidet, der zwanzig Dollar gekostet hatte, ging Johnny auf das Haupttor zu. Er blinzelte durch das Maschengitter auf die verschiedenen Fabrikgebäude und entschied, daß Onkel Bell ein reicher Mann sei.

Zuerst mußte er vor den Torwachen, den Empfangsdamen und Sekretärinnen Spießruten laufen, bis er endlich vor der Mahagonitür zu Beldon Lacys Büro stand. Er klopfte an. Eine unfreundliche Stimme forderte ihn zum Eintreten auf.

Er hatte ein prunkvolles Büro erwartet, aber er fand nur Geräumigkeit und Durcheinander. In dem Zimmer standen zwei ausladende Schreibtische. Einer war mit Papieren und Bürokram überhäuft, der zweite stand vor dem Fenster und war ebenso unordentlich. Dahinter stand ein Drehstuhl mit hoher Rückenlehne. Der Kopf, der sich an das Lederkissen lehnte, sah ungemein grimmig aus. Beldon Lacy hatte das Gesicht eines Kriegers. Dieser erste Eindruck änderte sich auch nicht, als Bell Lacy aufstand und die übliche Streifenkrawatte sowie der langweilige graue Anzug des Geschäftsmannes zum Vorschein kamen. Unter der hohen Stirn standen die Brauen buschig über tiefliegenden Augen. Die Nase war groß, das Kinn energisch vorgestreckt. Auf beiden Wangen hatte er kleine Narben. Es fiel Johnny schwer, den weichen Mund und die leuchtenden Augen Erika Lacys mit den Zügen ihres Onkels in Verbindung zu bringen.

»Ich heiße Johnny Brennan«, sagte er schüchtern. »Man hat mir gesagt, ich sollte bei Ihnen vorsprechen.«

Lacy fuhr sich mit der Hand rasch über den Mund.

»Ja, ja«, sagte er. »Erika hat mir von Ihnen erzählt. Machen Sie die Tür zu. Hier zieht es fürchterlich.«

»Ja, Sir.« Leise schloß er die Tür.

»Kommen Sie näher«, sagte Lacy und kam hinter seinem Schreibtisch hervor. Dabei grinste er merkwürdig.

Johnny ging zu ihm hin. Lacy stemmte beide Fäuste in die Hüften und musterte ihn. Sein Grinsen vertiefte sich.

»Sie sind also Johnny, hm?«

»Ja, Sir.«

Lacy ließ sich Zeit. Dann sah Johnny plötzlich deutlich eine harte Faust, die wie ein Felsbrocken über ihm schwebte. Als sie auf seinem Kinn landete, taumelte er zur Wand zurück. Dabei stolperte er über seine eigenen Füße. Als er aufzustehen versuchte, wußte er nicht, wo die Wand aufhörte und die Zimmerdecke begann.

Lacys Hand streckte sich ihm entgegen. Er zuckte erst zurück, aber die Hand bot ihm Hilfe an. Johnny zögerte, dann ergriff er sie. Er wurde auf die Füße gezogen, und Lacy sagte: »Das war der Lohn für das, was Sie mit meiner Nichte getan haben. Wenn Sie jetzt immer noch über eine Arbeit reden wollen, dann nehmen Sie Platz.«

Johnny betrachtete das Gesicht vor sich. Es zeigte weder Feindseligkeit noch Reue.

»Okay«, sagte er mühsam.

Rückblickend wußte Johnny nicht mehr viel von diesem Gespräch. Sein Kinn schmerzte und die Fragen ratterten wie Maschinengewehrschüsse aus Beldon Lacys Mund.

»Wie alt sind Sie?«

»Achtundzwanzig.«

»Leben Ihre Eltern noch?«

»Weiß ich nicht.«

»Was heißt, Sie wissen es nicht?«

»Also ja, ich glaube schon.«

»Jemals wo anders als auf einer Farm gearbeitet?«

»Ungefähr einen Monat lang bei einer Tankstelle.«

»Mechaniker?«

»Nein, Sir. Ich habe bloß die Wagen gewaschen und sie wieder vollgetankt.«

»Können Sie mit einem Drillbohrer oder einer Drehbank umgehen?«

»Nein.«

»Büroarbeit? Maschinenschreiben? Karteiführen?«

»Viel verstehe ich nicht davon.«

»Also was können Sie eigentlich?«

Johnny rieb sich das schmerzende Kinn.

»Im ersten Stockwerk haben wir eine Hausapotheke«, sagte Lacy mißmutig. »Machen Sie beim Fortgehen einen Sprung vorbei und lassen Sie sich ein Heftpflaster auf die Stelle kleben. Aber sagen Sie nicht, wo Sie den Fleck herhaben. Mein Ruf ist auch jetzt schon schlecht genug.«

»Ich hätte es niemandem gesagt.«

»Sie verdienten eine bedeutend schwerere Strafe. Für Ihr Verhalten könnte ich Sie anzeigen.« Mit finsterem Blick stand er auf. »Sie einzustellen, ist vermutlich das Dümmste, was ich je getan habe«, sagte er. »Und ich habe eine Menge Dummheiten begangen. Ich werde Sie im Warenlager unterbringen. Sie werden für einen alten Mann namens Gabriel arbeiten. Der leitet das Magazin. Sie werden ihm bei der Verwaltung des Werkzeugraumes helfen und darauf achten, daß die Arbeiter das Material bekommen, das sie brauchen. Der Lohn beträgt sechzig Dollar die Woche. Nehmen Sie an oder nicht?«

Johnny schluckte. »Ja«, sagte er, »ich nehme an.«

»Ich erwarte von Ihnen ein besonders vorbildliches Auftreten. Erika hält Sie anscheinend für einen Helden, nur weil Sie die Güte hatten, sie dann doch nicht auszurauben. Ich bin darüber weniger gerührt.«

»Den Eindruck hatte ich auch«, sagte Johnny und schob den Kiefer hin und her.

Lacy lachte plötzlich auf.

»Das war kein schlechter rechter Haken, wie? Mit zwanzig Jahren war ich nämlich eine Zeitlang Berufsboxer. Damals hat eine Laufbahn im Ring soviel gegolten wie heute eine Collegeausbildung. Mein erster Boß in der Stahlfabrik hat mich angestellt, weil ihm mein Stil gefallen hat. Zu jener Zeit war das Geschäftsleben noch bedeutend rauher. Und bedeutend besser, das wäre alles. Melden Sie sich Montag früh um neun in diesem Haus.«

»Gut«, sagte Johnny.

»Es wird Ihnen hier gefallen«, sagte Lacy höhnisch. »Eine richtige Spielschule. Kostenloser Krankenhausaufenthalt, fünfzigprozentiger Überstundenzuschlag, Prämien und Pensionsanspruch. Sie kommen sogar zu einer kostenlosen Reihenuntersuchung. Die gehört zur Gruppenversicherung. Nur die Nase müssen Sie sich selbst putzen, alles andere nehmen wir Ihnen ab.«

»Mir braucht keiner die Nase zu putzen.«

»Lohn gibt es Freitag. Haben Sie bis dahin etwas zum Leben?«

»Nicht viel.«

Lacy zog seine Brieftasche und entnahm ihr zwei Zehner. »Das ist ein Vorschuß«, sagte er. »Den ziehen wir Ihnen vom ersten Lohn ab.«

»Danke«, sagte Johnny.

Er verließ das Direktionsgebäude, ohne sich erst in der Apotheke aufzuhalten. Den restlichen Nachmittag schlenderte er müßig durch die Stadt. Um sechs Uhr sah er im Fenster eines Mietshauses ein Schild, auf dem stand: *Freie Zimmer*. Er erkundigte sich und mietete die billigste Mansarde, die neun Dollar pro Woche kostete und im voraus zu bezahlen war.

Er lieh sich eine Briefmarke, Briefpapier und einen Umschlag von der Zimmerwirtin aus und steckte eine Dollarnote hinein. Dann suchte er Erika Lacys Adresse im Telefonbuch. Er fand sie unter Beldon Lacys Name: RFD 1, Sycamore Hills. Dann schrieb er folgende Zeilen:

Liebe Tochter aus reichem Hause — das ist die erste Rate. Jetzt schulde ich Ihnen noch neunundzwanzig Dollar und Dank.

Johnny

P. S. Ich habe Arbeit gefunden. Kann ich Sie mal treffen? Wie wäre es mit Samstag?

Als Erika über die Auffahrt zu dem Steinhaus am Hügel ging, sah sie den Wagen ihres Onkels in der Garage stehen. Beldon Lacy übernachtete wochentags kaum jemals zu Hause. Er zog sein spartanisches Zimmer im Iron Club vor. Zeigte er sich aber unvermutet doch zu Hause, dann hatte ihn meist eine besonders üble Laune heimgetrieben.

Sie fand ihn im Wohnzimmer bei einer ungeöffneten Whiskyflasche und einem leeren Glas.

»Hallo«, sagte sie und versuchte zu lächeln. »Was ist los? Hat der Club dich hinausgeworfen, weil du die Rechnung an der Bar nicht bezahlt hast?«

»Ich hatte Lust, nach Hause zu kommen.«

Sie setzte sich ihm gegenüber nieder und sah ihn prüfend an. »Dazu kenne ich dich zu gut. Etwas liegt dir im Magen. Ist es Brockton?«

»Ist es nicht jedesmal Brockton? Nur hat sich die Lage diesmal zugespitzt.«

»Was hat er getan?«

»Es geht nicht darum, was er getan hat, sondern was er tun will. Er hat mich heute in meinem Büro aufgesucht und mich aufgefordert, daß ich mir sein Angebot nochmals überlegen soll. Ich habe ihm gesagt, ich würde meinen Anteil nicht für eine Million Dollar verkaufen, wie jedesmal. Aber er hat sich damit nicht zufrieden gegeben.«

»Er kann dich aber doch nicht zwingen, zu verkaufen ...«

»Nein? Dann kennst du Brockton nicht. Zwar kann er einen Meißel nicht von einer Muffe unterscheiden, aber er kennt mehr Tricks als Houdini.« Er hob die Whiskyflasche hoch und betrachtete das Etikett. »Er beruft eine Sondersitzung der Aktionäre ein. Er will mich durch Mehrheitsbeschluß abschieben.«

»Was soll das heißen?«

»Er hofft, von den Aktionären genügend Unterstützung zu erhalten, um mich endgültig auf Eis legen zu können. Wenn er mich schon nicht auskaufen kann, dann kann er mich und meine altmodischen Methoden aus dem Betrieb drängen.«

»Das wird ihm nicht gelingen«, sagte Erika tonlos. »Die Fabrik kann dich nicht entbehren, Onkel Bell. Selbst wenn Brockton das nicht begreift, die anderen Aktionäre werden es wissen. Schließlich hast du das Werk aufgebaut.«

»Unterschätze ihn nicht, Erika. Diesen Fehler habe ich vor drei Jahren begangen. Er versteht es, die Leute für sich zu gewinnen. Er verspricht ihnen höhere Dividenden, Kapitalzuwachs und ähnliche Sachen.« Er schraubte die Flasche auf und schenkte sich ein. »Aber ich habe nicht die Absicht, dir was vorzuweinen. Ich werde mit Brockton schon fertig, nur keine Angst. Ich habe noch nie Hilfe gebraucht.« Rasch trank er den Whisky aus und stand dann auf. »Ich lege mich heute lieber zeitig aufs Ohr.«

Sie sah ihn langsam zur Tür gehen. »Onkel Bell ...«

»Ja?«

»Hat Johnny Brennan heute seine Arbeit aufgenommen?«

Er drehte sich um. »Jawohl, gesund und munter. Er fängt morgen im Lager an. Ich werde Gabe sagen müssen, daß er ihn im Auge behält, damit er nicht mit der Tageskasse durchgeht.«

»Das ist ungerecht«, sagte Erika. »Ich habe dir doch gesagt, daß er kein Dieb ist, Onkel Bell. Ich glaube, du kannst ihm vertrauen.«

»Tust du es?« fragte er neugierig.

»Ja.«

Ihr Onkel runzelte die Stirn. »Hast du mir nicht erzählt, er sei so etwas wie ein Held gewesen? In Korea?«

»Ich habe nicht behauptet, daß er ein Held war, sondern daß er ziemlich böse verwundet wurde. Er hat sehr lange im Lazarett gelegen.«

»Komisch«, brummte er. »Wie ich höre, hat er die Untersuchung wegen der Versicherung glänzend bestanden. Die Militärärzte müssen wahre Wunder an ihm vollbracht haben.«

»Hat er denn keine Narben?« fragte Erika verblüfft.

»Nicht die kleinste Schramme. Nirgends. Das wird dir eine Lehre sein, in Zukunft nicht so vertrauensselig zu sein. Du kennst die Menschen nicht so gut wie ich.« Er machte einen niedergeschlagenen Eindruck. Er wandte sich wieder zur Tür, blieb dort einen Augenblick stehen und sagte: »Es ist Post für dich gekommen. Ich habe sie auf den Tisch in der Diele gelegt.«

Als Erika im Wohnzimmer allein war, bemühte sie sich, nicht an Johnny Brennan zu denken, aber immer wieder schweiften ihre Gedanken zu ihm ab. Sie war froh, als das Geräusch eines Autos an der Auffahrt sie ablenkte.

Sie wußte, noch ehe sie in die Diele gelangte, daß es Huey Brockton sein mußte. Nur er läutete mehrmals kurz hintereinander. Sie öffnete die Tür nicht, sondern blieb dahinter stehen und sagte: »Bedaure, niemand zu Hause.«

»Ach, komm doch, Erika.«

»Geh wieder fort, Huey, es ist schon spät.«

»Ich muß dich eine Minute sprechen. Ich friere hier draußen an.«

Gegen ihren Willen mußte sie lachen. Sie öffnete die Tür und die milde Luft der Augustnacht drang ein. Huey trug ein seidenes Sporthemd mit engen Ärmeln. Er rieb sich die Arme.

»Brr« sagte er. »Bestimmt ein verfrühter Frosteinbruch.« Er zog die Tür hinter sich zu und griff nach ihr. Rasch wich sie zurück.

»Laß das!« sagte sie. »Du hast ein sehr kurzes Gedächtnis. Soviel ich weiß, habe ich gesagt, daß ich dich nicht wiedersehen will.«

»Wir alle machen Fehler.« Er grinste und fuhr sich mit der flachen Hand durch das glänzende blonde Haar. »Außerdem bin ich hier, um mich zu entschuldigen. Ich hab' das nicht so gemeint, was ich über deinen Onkel gesagt habe. Ich mag den alten Herrn wirklich gern.«

»Aber sicher. Du und dein Vater, ihr liebt ihn ja heiß und innig.«

»Was kann ich denn dafür, wenn Dad und dein Onkel nicht miteinander auskommen? Am besten, wir beide schließen einen Privatfrieden.«

»Wie rührend«, sagte Erika kalt. »Du weißt vermutlich, was dein Vater im Augenblick vorbereitet? Diese Versammlung der Aktionäre ...«

»Ich kümmere mich nie um diese Dinge.«

»Du weißt doch, was er versucht. Er will Onkel Bell vor die Tür setzen. Stimmt das etwa nicht?«

»Geschäft ist Geschäft«, sagte Huey einsichtsvoll. »Wenn dein Onkel den Betrieb nicht mehr führen kann, dann sollte er sich zurückziehen. Möchtest du jetzt die Güte haben, nicht länger von der Firma zu jammern, damit wir von uns beiden sprechen können? Ich möchte dich am Samstag treffen.«

Erika drehte ihm den Rücken zu und ging zum Tisch, der in der Diele stand. Drei an sie adressierte Briefe lagen darauf.

»Na, wie wär's?« sagte Huey.

Sie öffnete den ersten Brief und las den kurzen Inhalt.

»Ich habe gesagt, wie wär's?« wiederholte Huey gekränkt. »Kann ich dich am Samstag abholen?«

»Nein«, sagte Erika lächelnd. »Nein, leider nicht, Huey. Da habe ich schon eine andere Verabredung.«

Ohne Gabriel Lesca hätte Johnny seinen neuen Job schon am zweiten Tag aufgegeben. Das Magazin der Lacy-Gesellschaft sah wie das Hauptlager des größten, unergründlichsten Kreuzworträtsels der Welt aus. Es gab mindestens zweitausend Kästen mit Werkzeugen und Maschinenteilen. Wenn Lacy von ihm erwartete, daß er das alles auswendig lernte, war er verrückt.

Das verrunzelte Gesicht des alten Gabe Lesca verzog sich zu einem verständnisinnigen Grinsen. »Schon recht, Junge«, sagte er. »Kein Mensch erwartet, daß Sie auf Anhieb alles wissen. Ich habe vierzig Jahre gebraucht, um mich hier richtig auszukennen. Tun Sie einfach, was ich Ihnen sage. Ich übernehme die Anforderungszettel und Sie holen mir die gewünschten Teile aus den entsprechend numerierten Kästen. An einem Abend der Woche können Sie dann das Inventar aufnehmen.«

»Am Abend?«

»Ja, am Freitag arbeiten Sie bis acht Uhr. Tagsüber ist für die Inventur keine Zeit. Aber keine Angst, Sie bekommen die Überstunden bezahlt.«

Gabe war der älteste Arbeiter, den Johnny jemals gesehen hatte. Er hätte den Alten auf über Siebzig geschätzt, aber als er ihn gut genug kannte, um ihn nach seinem Alter zu fragen, da blinzelte Gabe nur und sagte, er sei vierundsechzig. Gabe war der älteste Angestellte der Firma. Er hatte schon für Beldon Lacy gearbeitet, als dieser nach dem Ersten Weltkrieg die Firma gründete. So oft Gabe vom Boß sprach, und das geschah häufig, tat er es mit dem größten Respekt.

»Leute wie Bell Lacy gibt es heute gar nicht mehr«, sagte ihm Gabe eines Tages beim Mittagessen. »Bell hat in diesem Haus jeden Nagel und Bolzen mit eigenen Händen montiert. Sicher mögen ihn manche nicht und vielleicht haben sie auch ihre Gründe dafür, aber es gibt keinen Mann, der nicht den Hut vor ihm zieht.«

»Und wie steht es mit diesem Brockton?« erkundigte sich Johnny. »Der Name scheint hier keinen guten Klang zu haben.«

»Das stimmt«, sagte der Alte bitter. »1958 hatte jeder Betrieb zu kämpfen. Auch um dieses Werk stand es sehr schlecht. Die Verkäufe gingen zurück, Aufträge wurden rückgängig gemacht und Bell hatte ein riesiges neues Warenlager am Hals, das er nicht bezahlen konnte. Da tauchte dieser Brockton auf. Er hatte etwas, das Bell dringend brauchte, nämlich Geld. Er wollte sich in den Betrieb einkaufen und sodann die Neuanschaffungen bezahlen. Er sagte, er würde niemanden entlassen, falls Bell ihn zum Kompagnon mache. Bell hatte damals keine andere Wahl.

Nach und nach hat Brockton versucht, die Leitung völlig an sich zu reißen. Durch die Aktionäre bekamen wir mehr Mitbesitzer, als ein einzelner verprügeln kann. Das wird Bell noch viel zu schaffen machen, warten Sie es nur ab.«

»Aber es ist doch ein kaufmännisches Unternehmen, oder nicht?« sagte Johnny. »Solange Brockton Erfolg hat ...«

»Er will Bell an den Kragen«, sagte der Alte wütend. »Das ist sein einziges Ziel. Aus diesem Grunde beruft er die Versammlung der verdammten Aktionäre ein. Das ist eine schreiende Ungerechtigkeit.« Gabe hieb mit der Faust auf den Kantinentisch, daß die Umsitzenden ihn neugierig ansahen.

Johnnys Quartierfrau erwies sich als mütterlicher Typ. Sie versetzte die Knöpfe an seinem Rock und änderte die Umschläge an seinen Hosen. Als er sich für sein Treffen mit Erika Lacy anzog, sah er bedeutend vorteilhafter aus als zuvor.

Erika hatte ihm mit ein paar Zeilen vorgeschlagen, daß sie ihn mit dem Wagen abholen wolle. Als der Wagen am Randstein bremste, stieg er mit einem verlegenen Grinsen ein.

»Ich komme mir vor wie ein Gigolo«, sagte er.

Erika lachte. »Ist doch viel praktischer, wenn wir meinen Wagen nehmen. Ohne Auto ist man in Point Placid ziemlich verloren.«

Er überließ ihr die Wahl des Restaurants. Es war ein kleines Holzhaus, das von der Straße aus kaum zu sehen war. Die Gaststube war klein und gemütlich. Johnny stellte erleichtert fest, daß die Speisekarte billige Menüs verzeichnete. Er bestellte eine Flasche Rotwein, die sich als vorteilhafte Investition erweisen sollte. Die Unterhaltung wurde dadurch gelöster.

»Dann stoßen Sie sich also wirklich nicht an Ihrer neuen Arbeit?« fragte Erika. »Auch wenn Sie sich mit den vielen Ersatzteilen nicht auskennen?«

»Ich lerne das schon«, sagte Johnny zuversichtlich. »Heute kann ich Ihnen bereits den Unterschied zwischen einer Nocke und einer Kurbelwelle sagen. Und ich weiß auch, was ein Ölstein und ein Gesenk ist.«

»Das sind für mich spanische Dörfer.«

»Für jemand, der frisch von der Landwirtschaft kommt, auch. Ohne den alten Gabe wäre ich rettungslos verloren. Der ist ein wunderbarer Mensch. Ich möchte nur mal wissen, wie alt der ist.«

»Vierundsechzig«, sagte Erika verschmitzt lächelnd. »Seit einer Ewigkeit ist er ein Jahr vor der Pensionierung. Aber darüber macht sich niemand Gedanken. Jeder weiß, daß Gabe an dem Tag in Pension gehen wird, an dem er nicht mehr arbeitsfähig ist. Mit ihm wird ein Stück Tradition aus der Fabrik verschwinden.«

Die Vorstellung schien sie zu betrüben oder vielleicht waren ihr auch andere unerfreuliche Gedanken gekommen. Sie sah mit ernstem Blick auf und sagte: »Johnny, darf ich Sie etwas fragen?«

»Klar.«

»Sie sind doch im Lazarett gewesen. Hat man dort viele plastische Operationen an Ihnen vorgenommen? Wegen Ihrer Verletzungen, meine ich.«

Er nahm eine ablehnende Haltung ein. »Aber ja, natürlich. Warum fragen Sie das?«

»Weil Onkel Bell Ihre Untersuchung wegen der Versicherung erwähnt hat. Sie sollen sie mit größtem Erfolg bestanden haben.«

Er wußte, daß er vorsichtig sein mußte.

»Ich denke nicht gern daran«, sagte er langsam. »Ich mußte an die fünfzig Operationen über mich ergehen lassen.«

Sie griff nach seiner Hand. »Sprechen Sie nicht davon. Reden Sie lieber von der Zukunft.«

»Einverstanden.«

Sie verließen das Restaurant um neun Uhr, und Erika fragte Johnny, ob er fahren wolle. Er nickte und setzte sich hinter das Lenkrad des Kabrioletts.

Sie bogen eben auf den Highway ein, als sie hinter sich ein Dauerhupen hörten. Erika wandte sich verärgert um. Im Rückspiegel sah Johnny einen weißen Sportwagen, der fast gegen seine Stoßstange stieß. Er runzelte die Stirn.

»Was ist hier los?«

»Gar nichts«, sagte Erika. »Bloß ein Kilometerfresser. Fahren Sie weiter, Johnny.«

Er trat kräftig aufs Gas und versuchte, den Zweisitzer abzuhängen. Der Motor des Sportwagens heulte auf; er war zentimeterdicht am Heck des offenen Wagens. Johnny versuchte durch unvermutetes Abbiegen in eine Nebenstraße seinen Verfolger abzuschütteln, doch das weiße Auto ging auf das Manöver ein. Dann schoß es an Johnny und Erika vorbei und schnitt ihnen den Weg ab.

»Paß auf, wohin du fährst!« brüllte Johnny ihm zu und trat mit voller Kraft auf die Bremse. Als der weiße Wagen vor ihnen im Zickzack fuhr, fluchte Johnny und hielt an. Auch der Fahrer des Sportwagens hatte seinen Wagen zum Stehen gebracht.

Schon wollte Johnny aussteigen und auf den anderen zueilen. Seine Augen funkelten. Doch Erika griff nach seinem Arm und hielt ihn zurück.

»Nicht«, sagte sie hastig. »Er ist ein Bekannter von mir. Er macht nur Spaß ...«

»Feiner Spaß. Dem werde ich Manieren beibringen.«

»Bitte, Johnny!«

Der Fahrer löste sich aus dem Schalensitz des Sportwagens und kam auf sie zu. Er war groß und schlank und hatte glänzendes blondes Haar. Neben seinem Anzug sah man Johnnys Zwanzig-Dollar-Erwerbung deutlich an, daß sie von der Stange kam.

»Hallo«, sagte er gelassen. »Wie geht's, Erika?«

»Bist du uns nachgefahren?« fragte sie wütend.

Er grinste und betrachtete Johnny. »Wir sind einander noch nicht vorgestellt worden. Mein Name ist Huey Brockton. Vielleicht hat Ihnen Erika von mir erzählt.«

Johnny sah das hübsche Gesicht einen Augenblick aufmerksam an. Dann erwiderte er: »Ja, das hat sie. Im Restaurant war ein Ferkel mit einem Apfel im Rüssel. Sie sagte, es erinnere sie an einen Bekannten.«

Huey lief dunkelrot an und blickte auf Erika.

»Ich wollte wissen, mit wem du ausgehst. Du hast mir nicht verraten, daß es der junge Mann ist, der in der Fabrik den Boden kehrt.«

Johnny öffnete den Wagenschlag und Erika hielt den Atem an.

»Bitte«, sagte sie. »Nur keine Szene. Huey, du benimmst dich unmöglich.«

»Steig nur wieder in deine Seifenkiste, Kleiner«, sagte Johnny gelassen.

»Und wer sollte mich dazu zwingen?« fragte Huey aufgebracht. Als Johnny auf ihn zukam, steckte er die Hand in die Tasche. »Mach keine Dummheiten, Bürschchen. Ich habe da drinnen etwas, das beißt.«

»Was denn, eine Klapper?«

Johnnys Linke holte aus und landete auf Huey Brocktons Kinn. Brockton taumelte nach hinten. Erika schrie auf, als Huey zu Boden fiel. Er stand jedoch gleich wieder auf und zog die rechte Hand aus der Tasche. Das Mondlicht fiel auf die Klinge eines Messers.

»Nicht!« schrie Erika. »Laß ihn in Ruhe!«

Mit einem Sprung stürzte Huey sich auf Johnny. Der wich ihm geschickt aus und bekam dabei Hueys Arm mit beiden Händen zu fassen. Er drückte den Arm gegen die Seite des offenen Wagens mit solcher Kraft, daß Huey überrascht das Messer fallen ließ. Erika versuchte, es an sich zu reißen, aber Johnny war flinker. Er packte den Griff, drehte Huey in einem halben Nelson herum und hielt ihm das Messer unters Kinn.

»Jetzt wollen wir mal sehen ...«, sagte Johnny.

»Laß los«, brummte Huey.

Die Messerspitze lag an seiner Kehle. Hueys Augen quollen bei dieser kalten, gefährlichen Berührung beinahe aus den Höhlen.

»Ich bringe dich um«, flüsterte Johnny. »Ich schneide dir den Hals durch wie einem Huhn.«

Erika kam aus dem Auto gelaufen. Sie zerrte an Johnnys Arm, aber er ließ sich so wenig bewegen wie ein Fels.

»Bitte, Johnny«, flehte sie.

»Ich wollte ja kein Spielchen mit dir treiben«, sagte Johnny. »Aber wenn ich spiele, dann gründlich. Deshalb wirst du sterben ...«

Huey verdrehte die Augen. »Erika, hilf mir!«

»Johnny!« schluchzte das Mädchen. »Johnny, laß ihn los!«

Es dauerte einen Augenblick, ehe Johnny wieder einen klaren Kopf bekam. Er ließ Hueys Arm los und schob ihn schließlich fort. Huey rannte zu seinem Wagen und Johnny starrte auf das Messer in seiner Hand. Als der Motor des Sportwagens laut aufbrüllte, schleuderte Johnny das Messer in den Wald.

Wie ein Schlafwandler stieg er ins Auto. Erika setzte sich ans Steuer. Doch sie startete nicht gleich. »Johnny«, flüsterte sie.

Er bedeckte die Augen mit beiden Händen.

»Beinahe hätte ich ihn ermordet.«

»Aber nein. Sie wollten es gar nicht tun.«

»Doch, ich hätte ihn ermordet, Erika. Genau wie die anderen. Genau wie alle anderen.«

Sie rückte entsetzt auf ihren Sitz.

»Welche anderen?«

Er vermochte sie nicht anzusehen.

»Vier waren es insgesamt. Ich habe sie alle ermordet. Fragen Sie mich nicht, warum, Erika. Ich weiß es nicht. Ich habe sie einfach alle ermordet. Ich habe Sie angelogen«, fuhr er fort. »Ich heiße nicht Brennan, sondern Johnny Bree. Zumindest nennt man mich so. Ich habe Ihnen erzählt, daß ich auf einer Farm gearbeitet hätte. Das ist nur die halbe Wahrheit gewesen. Ich war zwar wirklich auf einer Farm beschäftigt, aber einer anderen, als ich erzählte. Man pflanzt dort Getreide und Gemüse, mit dem die Gefangenen verpflegt werden.«

»Ich wußte nicht einmal, daß es hier in der Nähe ein Gefängnis gibt.«

»Es nennt sich nicht Gefängnis. Man hat dafür schmeichelhaftere Umschreibungen gefunden. Ich bin kein gewöhnlicher Verbrecher, Erika, sondern einer jener Geisteskranken, von denen man öfters liest. Was sagen Sie jetzt?« Er betrachtete sie herausfordernd. »Na? Wann werden Sie zu schreien beginnen?«

»Ich werde nicht schreien, Johnny.«

»Fürchten Sie sich denn nicht? Ich bin ein Irrer. Ein geisteskranker Krimineller. Wenn es mich überkommt, muß ein Mensch sterben. Wie Ihr Freund vorhin...«

»Aber Sie haben ihn laufen lassen. Sie haben ihm nichts getan.«

»Sicher«, sagte er bitter. »Ich mache Fortschritte. Deshalb hat man mir auch vertraut und mich auf der Gefängnisfarm arbeiten lassen, weil ich eben ein braver Junge bin. In den ersten paar Jahren war das anders. Ich weiß nicht mehr, wann ich dort eingeliefert wurde und was ich getan habe. Es war, als wäre ich dort zur Welt gekommen — ein funkelnagelneues Kind. Allmählich bin ich aus meiner Umnachtung erwacht — aber fragen Sie mich nicht, wie. Anfangs war ich froh, wenn ich ein Gesicht wiedererkannte. Ich habe gelernt, ohne Hilfe zu essen, mich selbst anzukleiden, mich wie ein vernünftiger Mensch zu benehmen. An die Vergangenheit habe ich immer noch kaum Erinnerungen. Mit der Gegenwart wurde ich bisher recht gut fertig. Die Zukunft allerdings...«

»Ihre Zukunft ist bestimmt nicht gefährdet, Johnny. Sonst hätte man Sie nie entlassen.«

Er schwieg. Nur die Geräusche der Nacht waren zu hören.

»Aber weshalb waren Sie dort, Johnny? Wissen Sie das?«

»Das ist das einzige, was ich weiß. Das einzige, woran ich mich mit Sicherheit erinnere. Aus irgendeinem Grund habe ich vier Männer ermordet. Ich konnte nicht dagegen ankämpfen, es war ein Zwang, dem ich ausgeliefert war. Ich kann mich weder an ihre Namen noch an ihre Gesichter erinnern und ich weiß auch nicht, wo es geschehen ist. Aber ich entsinne mich ganz deutlich, daß ich es getan habe.«

Er schloß die Augen.

»Den einen habe ich mit einem Messer getötet — genau, wie ich jetzt beinahe Huey Brockton ermordet hätte.«

Unwillkürlich entschlüpfte Erika ein leiser Schrei. Er hörte ihn nicht.

»Den zweiten habe ich erwürgt. Ich fühle noch heute seine Kehle unter meinen Fingern. Die anderen beiden habe ich erschossen.«

Er wandte ihr sein Gesicht zu und die Qual, die darin zu lesen war, mußte sie mehr erschrecken als sein Geständnis.

»Ich kann es nicht glauben«, sagte sie. »Das müssen Sie sich eingebildet haben.«

»Nein«, antwortete er rauh. »Ich weiß zwar nicht viel über mich, aber das weiß ich. Es ist keine Einbildung. Es war Mord.«

Er wußte, daß sie nun aufschreien würde. Sie hatte den Schrei bereits zu lange zurückgehalten. Aber es klang mehr wie ein Wimmern. Es war ein Schmerzenslaut, ein Ausdruck ihres Entsetzens.

Er stieg aus dem Wagen. Sie versuchte nicht, ihn aufzuhalten, und er wollte es auch nicht. Langsam entfernte er sich in entgegengesetzter Richtung.

Als der Wagen nur noch ein Pünktchen in der Ferne war, hörte er das Brummen seines Motors. Er sah ihm nach, wie er verschwand.

Eine Stunde später kam er zum Omnibusbahnhof von Point Placid und studierte den Fahrplan, der eine Enttäuschung für ihn bedeutete. Der nächste Autobus ging erst Sonntagvormittag um zehn.

In einer Remise stand ein leerer Autobus. Die Türen waren offen. Im Innern war es finster und dumpf. Die Holzbänke im Warteraum waren feucht. Die Luft roch schal und ungesund.

Ein alter Mann kam zur Tür herein und rasselte mit einem Eimer und schwenkte einen Mop. Er hielt den Eimer schräg und die Seifenlauge ergoß sich über die Fliesen. Träge wischte er mit dem Mop in dem grauen Schaum hin und her.

»Kann ich hierbleiben?« fragte Johnny.

»Hä?«

»Ob ich hier an der Haltestelle warten kann? Ich habe meinen Autobus verpaßt.«

Der Alte lachte und wischte weiter. Johnny zog die Füße auf die Bank und legte sich auf den Rücken. In die Decke waren acht blaßgelbe Glühbirnen eingelassen. Er zählte sie wieder und wieder. Doch es dauerte nicht lange, da war er eingeschlafen.

Als er erwachte, schien ihm die Morgensonne ins Gesicht. Jemand rüttelte an seinem Fuß.

»Aufstehen«, sagte eine Stimme.

Mühsam setzte er sich auf und sah in das faltige Gesicht eines Mannes, der sich über ihn beugte.

»Eine Schlafstelle haben Sie sich da ausgesucht«, sagte Beldon Lacy. »Kein Wunder, daß Sie einen krummen Rücken haben.«

»Mr. Lacy . . .«

»Was halten Sie von einer Tasse Kaffee? An der Ecke ist ein Büfett. Heiß ist der Kaffee, mehr läßt sich nicht über ihn berichten.« Er legte die Hand unter Johnnys Ellenbogen und half ihm auf.

Lacy sagte nichts, bis sie in der Imbißstube saßen und zwei dampfende Tassen vor ihnen standen. Nach dem ersten Schluck schnaufte Lacy.

»Okay«, sagte er. »Sie geben den Job also auf. Den ersten Lohn haben Sie eingesteckt und schon wollen Sie fort. Das nenne ich Arbeitsmoral.«

»Hat Erika Ihnen erzählt, was geschehen ist?«

»Allerdings.«

»Wundern Sie sich da noch, daß ich von hier fort will?«

»Hören Sie, Schlaumeier, ich weiß bloß, daß Erika schluchzend wie ein kleines Kind, dem der Luftballon geplatzt ist, nach Hause gerannt kam und das nur, weil Sie und Huey aneinandergeraten sind.«

»Es war mehr als das.«

»Ich weiß. Huey hat ein Messer gezogen. Ich habe immer gewußt, daß sich unter seiner glatten Oberfläche ein niederträchtiger Charakter verbirgt. Das liegt in der Familie.«

»Sonst hat sie Ihnen nichts gesagt?«

»Nein.« Lacy rührte seinen Kaffee um und die Falten auf seiner Stirn vertieften sich. »Sie hat gesagt, Sie seien krank. Sie wären als halbes Kind in eine üble Sache hineingeschlittert und dafür eingesperrt gewesen.«

Johnnys Herz pochte laut. Erika hatte ihrem Onkel das Wichtigste verschwiegen. Warum?

»Sie hat gesagt, daß Sie vermutlich ausrücken werden«, fuhr Lacy fort. »Ich habe mich in Ihrem Quartier erkundigt und erfahren, daß Sie nicht dort sind. Das Nächstliegende war also der Omnibusbahnhof.«

»Warum?« fragte Johnny. »Weshalb machen Sie sich diese Mühe?«

»Woher soll ich das wissen?« brummte Lacy. »Wahrscheinlich, weil Erika es von mir erwartet hat. Und außerdem können Sie den alten Gabe nicht einfach im Stich lassen. Er hat sich eben erst an Sie gewöhnt. Sie werden sich also morgen wieder an Ihrem Arbeitsplatz einfinden.«

»Das kann ich nicht tun«, sagte Johnny.

Lacy legte ihm die Hand auf die Schulter. Es war nicht bloß eine freundschaftliche Geste.

»Ich bitte Sie nicht darum, ich ordne es an. Mich oder meine Nichte läßt man nicht sitzen, Freundchen. Über Ihre Vergangenheit braucht keiner etwas zu erfahren, und ich werde dafür sorgen, daß Freund Huey den Mund hält.«

Johnny trank den letzten Tropfen Kaffee aus der großen Tasse.

»Wie Sie meinen«, sagte er. »Sie sind der Chef.«

Am Mittwoch führte Johnny ein neues Materialausgabesystem ein. Nicht nur dieser Einfall stammte von ihm. Er hatte eine tägliche Eintragung der ausgegebenen Teile angeordnet, so würde die Bestandsaufnahme am Freitag bedeutend schneller vor sich gehen. Gabe Lesca hatte sofort, als Johnny ihm seinen Vorschlag machte, erkannt, daß er praktisch war.

»Passen Sie auf, Junge«, sagte er gutmütig, »die werden Sie von Ihrem behaglichen Plätzchen holen und zum Direktor machen.«

Johnny war rot geworden, aber die Bemerkung freute ihn sichtlich.

Am Freitagabend verließ Johnny das Werk beim letzten Pfeifen der Fünfuhrsirene. Gabe blieb hinter ihm im Umkleideraum zurück. Die wöchentliche Bestandsaufnahme begann erst um sechs Uhr. Johnny verbrachte die Stunde bis dahin in einer Imbißstube auf der gegenüberliegenden Straßenseite. Das Essen war schlecht, aber er merkte es nicht.

Dann kehrte er in die Fabrik zurück, ging ins Warenlager und begann, die Liste der ausgegebenen Waren zu überprüfen. Das neue System konnte sich erst in einer Woche auswirken, also lagen noch gut zwei Stunden Arbeit vor ihm. Plötzlich bekam er Angst. Würde es noch eine andere Woche geben? Oder würde die Aktionärsversammlung, die für Montag angesetzt war, seinem neuen Leben ein Ende setzen?

Howard Brockton. Er sagte sich den Namen laut vor und dabei fiel ihm auf, daß er den Mann noch nie gesehen hatte, der in der Firma und im Privatleben der Lacys soviel Sorgen heraufbeschwor.

Er beugte sich über seine Arbeit, von der er erst wieder um acht Uhr fünfzehn aufblickte.

Beim Weggehen wählte er die Abkürzung durch das Direktionsgebäude, um auf diese Art zum Haupttor zu gelangen.

Am Ende eines langen Korridors, in dem lauter Verwaltungsbüros lagen, stand eine Tür halb offen. Gelbes Licht fiel auf den gebohnerten Boden. Auch in diesem Trakt machte also jemand Überstunden.

Als er näherkam, sah er Howard Brocktons Namen auf dem Schildchen an der Wand. Wenn er langsam vorbeiging, konnte er sich das Ungeheuer in seiner Höhle ansehen.

Was er sah, überraschte ihn. Der Mann saß hinter einem großen Eichenholztisch. Sein Kopf lag auf der Löschpapiermappe. Das Licht der Schreibtischlampe schimmerte auf seinem kahlen Schädel und strahlte scheinwerferartig den runden Fleck an, der sich unter seinem Kinn ausbreitete.

Er ging ins Büro und sagte: »Mr. Brockton?«

Er faßte den Mann an der Schulter. Dann sah er die Farbe des Flecks und wußte, daß er hier keine Antwort mehr erwarten durfte. Vor ihm saß ein Toter. Die linke Schädelhälfte war eingeschlagen, die Haut auf der Wange wie eine reife Melone aufgesprungen. Das Blut im Gesicht war noch feucht. Der Mann hatte ein kleines Gesicht und farblose Augen. Falls er grausam und berechnend gewesen war, hatte sich das bestimmt in seinen Augen ausgedrückt. Doch der Tod hatte alle diese Züge fortgewischt.

Johnny hörte die polternden, schweren Schritte des Nachtwächters. Der Mann kam den Korridor entlang. Erst jetzt erfaßte Johnny die Gefahr, in der er schwebte.

Wie konnte er seinen Aufenthalt in diesem Büro erklären, wenn er hier gefunden wurde? Wie sollte er die Fragen beantworten, die man ihm bestimmt stellen würde? Wer war er? Woher kam er? Wie hieß er wirklich? Warum hatte man ihn angestellt? Und dazu seine Antworten. Ich heiße Johnny Bree. Ich bin ein Mörder. Ich bin aus einer Heilanstalt für geisteskranke Kriminelle geflüchtet. Aber ich bin unschuldig!

Der Nachtwächter blieb vor der Tür stehen. Seine Hand lag am Türknopf. Er drehte ihn in die falsche Richtung.

»Mr. Brockton?«

Mit einem Satz rettete Johnny sich in die Freiheit. Er rannte gegen den Wächter. Das Überraschungsmoment war seine einzige Waffe. Aber das Reaktionsvermögen des Wächters war gut. Er schlug um sich und packte Johnny beim Arm. Johnny schlug mit der rechten Faust zu, riß sich los und rannte den Korridor entlang.

»Stehenbleiben! Stehenbleiben! Sonst muß ich schießen!«

Am Ende des Korridors schlitterte er auf dem blanken Fußboden einige Zentimeter weiter und zerrte am Griff der Außentür. Dann war er im Hof. Er rannte durch das unbewachte Tor, bevor der Wächter ihn daran hindern konnte. Doch schon in diesem Moment wußte er, daß ihm der schlimmste Teil der Nacht noch bevorstand. Sobald der Wächter entdeckt hatte, was hinter der Tür zu Howard Brocktons Büro auf ihn wartete, würde die Suche nach dem Mörder beginnen.

Er warf sich in ein Taxi und nannte Lacys Adresse, ohne sich darüber im klaren zu sein, ob er Erika oder seinen Chef sprechen wollte. Dann bemerkte er, daß er in einem Funktaxi saß. Das bedeutete, daß der Wagen einen Funkspruch der Polizei empfangen konnte. Falls sie bereits hinter ihm her waren, konnten die gelangweilten, näselnden Weisungen des Sprechers der Taxizentrale jederzeit unterbrochen werden.

Aber es kam keine Warnung durch. Sie fuhren den Hügel von Sycamore Hill hinauf, und er landete sicher vor Lacys Haustür.

Erika öffnete ihm auf sein Läuten. Sie trug ein schwarzes Kleid, an dem nicht alle Knöpfe geschlossen waren.

»Johnny . . .«

»Ich muß Sie sprechen, Erika. Würden Sie mich einlassen?«

Er ließ ihr keine Zeit zur Überlegung, sondern trat ein und schloß hastig die Tür hinter sich.

»Ist Ihr Onkel zu Hause?«

»Nein. Er ist im Club. Was ist geschehen, Johnny?«

»Ich muß Ihnen etwas erzählen. Ich wollte es auch Ihrem Onkel sagen. Es handelt sich um Brockton.«

»Howard Brockton?«

»Er ist tot, Erika. Er ist ermordet worden.«

Sie fuhr sich mit der Hand an den Mund.

»Das dürfen Sie nicht denken!« schrie Johnny sie an. »Ich habe im Werk Überstunden gemacht. Ich habe seine Leiche gefunden. Aber der Nachtwächter hat mich in seinem Büro überrascht und ich bin fortgerannt. Er hat mich gesehen, Erika, und man wird glauben, daß ich etwas damit zu tun habe.«

Sie starrte reglos vor sich hin. Er packte sie an den schmächtigen Schultern und schüttelte sie.

»Glauben Sie mir!« schrie er. »Glauben Sie mir doch, Erika, bitte!«

Im Wohnzimmer läutete das Telefon. Erika ging zur Tür und wartete ab, ob er sie daran hindern würde. Er tat es nicht, ging ihr aber nach und beobachtete sie.

»Ja, Onkel Bell . . .«

Er nahm ihr den Hörer aus der Hand.

». . . unterwegs zu dir«, hörte er Bell Lacy sagen. »Das hat uns die Taxizentrale gesagt. Also setze dich ins Auto und fahre so rasch du kannst in den Club. Dort bleibst du bis ich komme. Verstanden?«

Johnny deutete auf die Sprechmuschel und nickte.

»Ja«, sagte Erika. »Ja, ich verstehe, Onkel Bell.«

»Ich hätte klüger sein sollen«, sagte die Stimme. »Ich hätte ihn niemals in den Betrieb lassen dürfen. Jetzt siehst du selbst, was wir damit angestellt haben.«

»Hör zu, Onkel Bell . . .«

Johnny packte ihren Arm und warnte sie durch einen schmerzhaften Druck.

»Gut«, sagte sie. »Ich fahre gleich los. Aber ich kann nicht glauben, daß Johnny es getan haben soll. Das ist einfach unmöglich.«

»Es ist aber so. Er wurde bei der Tat ertappt. Du selbst hast mir gesagt, daß er ein Mörder ist. Vielleicht hat er sich eingebildet, daß er mir damit einen Gefallen erweist, der arme Narr. Verliere keine Zeit, Erika!«

Sie legte auf.

»Was werden Sie jetzt tun?« flüsterte sie.

»Geben Sie mir Ihre Wagenschlüssel!«

Sie ging zum Schrank in der Diele. Er kam ihr nach und sah, wie sie an einem Mantel zerrte, der auf einem Kleiderhaken hing. Er stieß sie zur Seite und griff auf den Boden des Schrankes.

In einer Ecke lehnte eine doppelläufige Flinte. Er hob sie auf und sah Erika wutentbrannt an.

»Nein, Johnny«, sagte sie. »Ich schwöre, daß ich das nicht tun wollte. Ich habe die Schlüssel gesucht.«

»Her damit!«

Sie fand sie in der Tasche eines Regenmantels und gab sie ihm. Er nahm sie an sich und ging zur Tür, aber als er sie öffnete, flammte Licht auf, das so grell wie eine explodierende Granate war. Er warf die Tür zu und lehnte sich dagegen.

»Was ist das?« fragte Erika. »Was geschieht da draußen?«

»Die Polizei. Sie sind bereits da.«

Er hob die Flinte auf und trieb Erika ins Wohnzimmer. Er durfte auf keinen Fall die Nerven verlieren. Er ging ans Fenster und zog den Vorhang zurück. Vor dem Haus stand ein schwarz-weißes Polizeiauto, dessen Scheinwerfer auf den Eingang zielten. Eine Gestalt trat ins grelle Licht und hob einen trichterförmigen Gegenstand an den Mund.

»Brennan!« sagte die Stimme durch den Lautsprecher. »Brennan, hier spricht Captain Demerest von der Stadtpolizei. Wir wollen Sie nicht verhaften. Wir wollen nur, daß Sie herauskommen, damit wir mit Ihnen reden können.«

Erika stöhnte. »Tun Sie, was sie sagen, Johnny.«

»Allzu lange können wir nicht warten, Brennan«, fuhr die Stimme fort. »Jede Minute, die Sie im Haus bleiben, verschlechtert Ihre Lage.«

Ein zweiter Wagen traf auf der Anhöhe ein und blieb mit krei-schenden Bremsen stehen. Vier schwerbewaffnete Polizisten stie-gen aus. Johnny schnaufte verächtlich und drückte sich dicht ans Fenster.

»Ich komme nicht 'raus!« schrie er.

»Schicken Sie das Mädchen heraus, Brennan! Seien Sie ver-nünftig!«

Er wandte Erika sein verzweifeltes Gesicht zu.

»Ich kann nicht«, sagte er. »Ich kann es einfach nicht, Erika.« Dann rief er den Polizisten zu: »Versuchen Sie nicht, mit Gewalt hier einzudringen. Ich habe ein Gewehr bei mir. Ich bringe das Mädchen um, wenn Sie eindringen!«

Er rückte vom Fenster ab und trat zu ihr.

»Ich tue Ihnen nichts«, sagte er. »Das wissen Sie doch, Erika.«

»Das hilft Ihnen doch alles nichts, Johnny. Früher oder später müssen Sie doch zu denen gehen.«

»Dann lieber später.«

Erst viel später hörte er wieder Geräusche von draußen. Die Polizisten berieten mehr als eine Stunde darüber, welche Schritte sie unternehmen sollten. Für Johnny, der mit der Flinte auf den Knien im Wohnzimmer saß, bedeutete die Verzögerung einen Aufschub, den er als einzige Qual empfand.

Dann meldete sich der Lautsprecher wieder.

»Johnny! Können Sie mich hören? Hier ist Beldon Lacy!«

Erika wimmerte beim Klang der vertrauten Stimme.

»Hören Sie mir zu, Johnny. Keiner will Ihnen etwas antun. Werfen Sie die Flinte weg und kommen Sie heraus.«

»Bitte, Johnny«, murmelte Erika, »hören Sie auf ihn. Sie wissen, daß Onkel Bell es gut mit Ihnen meint.«

»Glauben Sie, ich habe nicht gehört, was er am Telefon gesagt hat? Daß ich ein Mörder bin . . .« Er brachte das verhaßte Wort kaum über die Lippen. »Woher weiß er das, Erika? Er hat gesagt, Sie hätten ihm erzählt, daß ich krank sei. Aber nichts über diese Männer, die — ich umgebracht habe.«

»Ich habe es ihm gesagt. Natürlich habe ich es ihm gesagt, Johnny. Ich erzähle ihm ja alles.«

»Dann hat er gewußt, daß ich ein Mörder bin, und trotzdem wollte er, daß ich für ihn arbeite? Warum, Erika?«

»Johnny!« dröhnte es aus dem Lautsprecher. »Nehmen Sie doch Vernunft an. Sie haben hier Freunde. Wir wollen Ihnen helfen.«

»Warum?« fragte Johnny empört. »Warum setzt er einen Mörder auf die Gehaltsliste? Ich will es Ihnen verraten, Erika. Weil er einen Strohmann haben wollte . . .«

Er stürmte zum Fenster.

»Schicken Sie Bell Lacy herein!« brüllte er. »Ich rede nur mit Bell Lacy und sonst mit keinem!«

»Onkel Bell, Onkel Bell, komm nicht . . .«

Er stieß Erika so heftig fort, daß sie gegen das Sofa fiel. Sie begann zu weinen. Es waren die ersten Tränen, seit er ins Haus gekommen war.

Dann löste sich eine Gestalt aus der Menge.

»Tun Sie ihm nichts!« schluchzte Erika. »Sie dürfen ihm nichts tun, Johnny!«

Das Pochen an der Haustür klang entschlossen. Johnny ging in die Diele und richtete die Mündung der Flinte auf die Tür. Sie öffnete sich und Lacy trat ein.

»Wo ist Erika?«

Sie rannte auf ihn zu, und er schlang die Arme um sie.

»Lassen Sie sie los«, sagte Johnny.

»Legen Sie die Flinte nieder, Johnny. Sie werden sie nicht mehr brauchen. Ich weiß jetzt, wer Howard Brockton ermordet hat.«

Johnny lachte. »Sicher. Ich ebenfalls. Sie haben die Sache nämlich von Anfang an geplant. Sie wußten, daß ich ein Mörder bin, deshalb haben Sie mich in Ihrer Fabrik beschäftigt.«

»Das ist nicht wahr, Johnny.«

»Erika hat Ihnen von den vier Männern erzählt, die ich getötet habe. Sie wollten es bloß nicht zugeben. Sie haben getan, als wüßten Sie nichts davon.«

»Na schön, dann habe ich es eben gewußt. Aber Erika hat auch gesagt, daß Sie gesund sind. Sonst hätte man Sie ja auch nicht aus der Anstalt entlassen.«

»Sie lügen! Sie wollten ein Alibi haben, sonst nichts! Und dabei ist Ihre Wahl auf mich gefallen.«

Er hob die Flinte.

»Brennan!« dröhnte der Lautsprecher draußen. »Brennan, hier ist jemand, der Sie sprechen möchte. Hören Sie mich, Brennan?«

Vorsichtig trat Johnny ans Fenster und schob den Vorhang zur Seite. Ein weiterer Wagen war angekommen. Es war ein grauer Zivilwagen ohne Abzeichen. Zwei Männer kletterten von den Vordersitzen.

»Hören Sie mir zu, Brennan. Diese Herren möchten mit Ihnen reden. Sie sind gekommen, um Ihnen zu helfen.«

Johnny schirmte die Augen gegen das grelle Licht ab und versuchte, die Neuankömmlinge zu erkennen. Der eine war ein kleiner, rundlicher Mann in einem verknitterten Anzug. Der andere war hochgewachsen und eckig und trug die olivgrüne Uniform des Marineoffiziers.

»Colonel Joe«, flüsterte Johnny.

»Was ist los?« fragte Erika. »Wer sind die beiden?«

»Colonel Joe!« brüllte Johnny und seine Augen weiteten sich. Er blickte verstört von dem Mädchen zu Bell Lacy und stürzte dann in die Diele, wobei er die Flinte fest umklammert hielt. Er stieß die Tür weit auf und stürmte mit sonderbar verzückter Miene ins Freie. Seine Augen leuchteten im Scheinwerferlicht der Polizeiautos. Der Schuß, der sich aus dem Revolver eines nervösen Polizisten löste, traf ihn, als er noch keine drei Meter vom Haus entfernt war. Er fiel vornüber in den Kies der Auffahrt und blieb reglos liegen.

Als Erika ins Krankenzimmer trat, saß der Marineoffizier neben Johnnys Bett. Zum erstenmal sah sie das Abzeichen mit dem Merkurstab an seinem Rockaufschlag. Sein Haar war grau, aber abgesehen von der Erfahrung, die sein Blick verriet, war er noch ein junger Mann.

»Sie müssen Erika sein«, sagte er. »Ich bin Joe Gillem.«

Sie sah Johnny an, der ihr schwach zulächelte.

»Sie müssen entschuldigen«, sagte er. »Ich habe eine Menge geredet und Sie sind dabei sehr oft vorgekommen.«

»Wie fühlen Sie sich?«

»Wie zu Hause. Man hat mir die Kugel aus der Hüfte entfernt. Ich werde vermutlich noch ein Weilchen hinken, aber sonst geht es mir gut.«

»Was heißt hier gut«, sagte der Colonel. »Es geht ihm sehr viel besser. Johnnys Gedächtnis kehrt allmählich zurück.«

Erika hielt den Atem an. »Woran erinnert er sich denn?«

»An die Vergangenheit. An die Wahrheit über seine Person. Irgendwie hat ihm die Flucht mehr genützt, als der ganze Aufenthalt in der Anstalt. Nicht, daß ich so etwas als Therapie empfehlen würde, aber in seinem Fall hat es gewirkt.«

»Flucht?« fragte Erika.

»Das stimmt«, sagte Johnny. »Das ist etwas, was ich Ihnen nicht zu sagen gewagt habe, Erika. Ich bin nicht entlassen worden. Ich bin getürmt.«

Sie sah den Colonel an, ohne die Frage auszusprechen.

»Nein«, sagte er lächelnd, »ich glaube nicht, daß er wieder zurück muß, Miß Lacy. Jetzt nicht mehr. Er darf sich schon als Patient des Krankenhauses betrachten.«

»Als Patient?«

»Ja, haben Sie ihn für einen Häftling gehalten? Nein, Miß Lacy, er war nicht im Gefängnis. Die Anstalt war eine Nervenklinik für Kriegsverwundete. Johnny war dort, weil er jede Erinnerung an sein in Korea verbrachtes Jahr verloren hatte. Ihm war nichts weiter als ein Schuldkomplex zurückgeblieben —

Es war im Herbst 1953, am Hertbreak Ridge. Johnny war auf Streifendienst, und nachdem sein Sergeant von Heckenschützen erschossen worden war, übernahm er den Oberbefehl. Sie befanden sich hinter den kommunistischen Linien. Plötzlich geriet die Streife in ein Sperrfeuer der Artillerie. Bei einem Fluchtversuch wurden sie eingekesselt. Sie konnten nur lebend herauskommen, wenn sie das Widerstandsnest außer Aktion setzten. Genau das hat Johnny dann auch getan. Trotz Feindbeschuß schlich er sich hinter das Nest und warf eine Granate hinein. Dadurch war zwar das Maschinengewehr ausgefallen, aber vier feindliche Soldaten lebten noch. Zum erstenmal sah er sich zum Nahkampf gezwungen. Er war achtzehn Jahre alt. Zwei der beiden schoß er nieder, den dritten mußte er mit dem Bajonett erledigen. Dabei hat er seine Waffe eingebüßt. So mußte er den vierten Mann erwürgen. Das waren seine vier ›Opfer‹, Miß Lacy — die ›Morde‹, die er begangen hat.

Mit einem schweren Schock wurde er ins Feldlazarett eingeliefert. Wunden hatte er keine. Aber er befand sich in einem Zustand völliger Nervenzerrüttung, von dem er sich monatelang nicht erholen konnte. Das Gedächtnis hatte er verloren. Er erinnerte sich bloß daran, daß er ein Mörder war.

Als wir die Fernsehmeldung über den Mord an Howard Brockton hörten und Johnnys Foto sahen, da wußte ich, daß er es nicht war — und daß die Polizei den Falschen verfolgte. Deshalb fuhr ich mit Dr. Winterhaus, dem Chefpsychiater, hierher. Wir beide haben viel Zeit für Johnny aufgebracht und wir sind überzeugt, daß er wieder vollkommen gesund wird.«

Erika hatte zuerst erstaunt und dann mit einem wachsenden Glücksgefühl zugehört. Doch als sie sich Johnny zuwandte, sah sie, daß er ein sehr niedergeschlagenes Gesicht machte.

»Ich bin ja so froh für Sie, Johnny...«

»Schon«, antwortete er. »Aber Sie wissen, was das bedeutet, oder? Nämlich, daß ich wegen Ihres Onkels recht gehabt hatte...«

Hastig sah sie den Colonel an.

»Dann weiß er es noch nicht? Hat es ihm niemand gesagt?«

»Was weiß ich noch nicht?« fragte Johnny.

Erika trat an sein Bett und ergriff Johnnys Hand.

»Es ist nicht Onkel Bell gewesen, Johnny. Es war der arme alte Gabe, der Brockton ermordet hat.«

»Gabe?«

»Ja«, sagte Erika bekümmert. »Er hat gedacht, Onkel Bell damit zu helfen. Er ging in Brocktons Büro und hat mit ihm gestritten. Es endete damit, daß der alte Gabe ihm mit einem Werkzeug, das er in der Hand hielt, niederschlug. Er hatte keine Ahnung, daß er

Brockton so schwer verletzt hatte. Als er es erfuhr, kam er zu Onkel Bell und hat ihm die Wahrheit gestanden.«

»Der arme Gabe«, sagte Johnny mitfühlend. »Was wird jetzt aus ihm werden, Erika?«

»Onkel Bell beteuert, daß er für ihn in die Bresche springen will. Man kann über Onkel Bell sagen, was man will, aber die Treue ist ihm so heilig wie ein Glaubenssatz.«

»Wo ist er jetzt, Ihr Onkel?«

»Er wollte um vier Uhr hier sein. Er möchte sich mit Ihnen über etwas unterhalten. Ich glaube, es geht um Ihr neues System der Bestandsaufnahme.« Sie hielt seine Hand fester. »Falls er Ihnen einen Job anbietet, Johnny, etwas in der Verwaltung, würden Sie annehmen? Oder würden Sie den Unversöhnlichen spielen?«

»Ich weiß es nicht. Er hat keinerlei Verpflichtungen mir gegenüber.«

»Aber würden Sie annehmen?«

»Das müßte ich mir noch überlegen.«

»Ich wußte es«, sagte Erika. »Jetzt trotzen Sie. Das hätte ich gleich prophezeien können. Was tun Sie in einem solchen Fall, Doktor?«

Colonel Joe grinste. »Keine Ahnung. Ich würde vermutlich versuchen, ihn freundschaftlich zu überreden.«

Sie versuchte es und es klappte.

Erkennen Sie den Mann wieder?

Judy nahm die letzte saubere Wäsche von der Leine und warf die Stücke in den Korb, der neben ihr stand. Ihre langen braungebrannten Beine steckten in grellgelben Shorts. Sie sah aus wie das Idealbild einer Hausfrau in einer Gartenvorstadt.

Als Judy nach dem Korb griff, schweifte ihr Blick zur Poststraße, die am Haus vorbeiführte. In diesem Augenblick bemerkte sie die parkende graue Limousine und sah den Mann am Lenkrad, der sie anstarrte.

Sie wandte sich hastig ab, hob den beinahe vollen Korb hoch und ging rasch zur Küchentür. Dabei fühlte sie den beunruhigenden Blick des Fremden im Rücken. Wer es auch sein mochte, unverschämt war er auf jeden Fall.

Brad hatte das hübsche kleine weiße Haus mit den grünen Fensterläden gleich nach ihrer Hochzeit in einem wenig besiedelten Viertel ziemlich außerhalb der Stadt erbaut. Es hatte ihnen behagt, abseits vom Lärm und Ruß zu wohnen und von Bäumen umgeben statt von Nachbarn eingeengt zu sein. Das Grundstück war billig gewesen. Brad hatte gesagt, es würde im Wert steigen, sobald die Stadt sich ausbreitete. So könnten sie es später mit einem netten Gewinn verkaufen und weiter draußen ein noch größeres Haus bauen. Bisher aber war die Besiedlung der Umgebung nur sehr langsam vor sich gegangen. Nur zwei neue Häuser waren hinzugekommen und die lagen ziemlich weit ab.

In der Küche setzte Judy den Korb auf den Boden und suchte die Handtücher und alle Wäschestücke heraus, die nicht gebügelt werden mußten. Plötzlich meinte sie zu hören, daß die Vordertür geöffnet wurde. Das überraschte sie.

Sie sah auf die Uhr. Nein, Brad konnte noch nicht hier sein. Es war noch nicht einmal fünf Uhr, und er kam selten vor halb sechs heim. Mit einem unbehaglichen Schauer legte sie die Handtücher wieder in den Korb und eilte ins Wohnzimmer.

Der Mann aus dem Wagen stand vor ihr. Sein Gesicht verzerrte sich zu einem schiefen Lächeln. Es war weder ein ehrliches noch ein glückliches Lächeln. Es wirkte sehr starr.

Er war jung, um die fünfundzwanzig, von durchschnittlicher

Größe und Statur, weder hübsch noch häßlich. Wenn man auf der Straße an ihm vorbeiging, fiel er einem sicher nicht auf. Falls man sich seiner überhaupt erinnerte, dann wegen seiner Kleidung. Er trug ein marineblaues Sportsakko mit glänzenden weißen Knöpfen und graue Hosen. Seine Augen standen dicht beisammen. Sein Atem roch stark nach Whisky. Unwillkürlich wich Judy zurück.

»Ich habe immer gewußt, daß ich dich eines Tages finden würde, Süße«, sagte er.

Sie starrte ihn an. War er verrückt?

»Wer sind Sie?« fragte sie. Sein Benehmen wirkte unwirklich und beängstigend. Es war alles wie ein schwerer Traum.

»Ha ha! Du erinnerst dich nicht an mich, Puppe, wie?«

»Ich habe Sie noch nie gesehen«, sagte Judy.

»Dafür habe ich dich gesehen«, antwortete er. »Im Gerichtssaal, als du mit dem Finger auf mich gezeigt hast. Und später dein Foto in den Zeitungen.«

»Mein Foto ist niemals in einer Zeitung erschienen.«

»Was bist du doch für ein bescheidenes Frauchen, wie? Jetzt wirst du mir wohl auch gleich einreden, daß du nie in New York gelebt hast?«

»Natürlich habe ich einmal dort gelebt«, sagte Judy. »Irgendwann wohnt doch jeder mal dort. Und jetzt sagen Sie mir, weshalb Sie hier sind.« Sie versuchte, einen unerschrockenen Eindruck zu machen, obwohl sie sich gar nicht tapfer fühlte.

Er zog ein Päckchen Zigaretten und Streichhölzer aus seiner Tasche. »Es ist ein richtiges Wunder«, sagte er. »Im Grunde habe ich nie geglaubt, daß es soweit kommen wird. Groß war die Aussicht ja nicht. Jedenfalls bin ich, seit man mich aus dem alten Ossining freigelassen hat, durch die Gegend gezogen. Ich war da und dort und hab' mich umgesehen. Jedes weibliche Gesicht habe ich studiert. Unzählige. Manche davon waren auch ziemlich jung. Wie das bei Gericht und in den Zeitungen. Dein Gesicht, Süße.«

Judy versuchte, sich unauffällig zurückzuziehen. Der Mensch war bestimmt verrückt. Sie näherte sich dem Telefon. Er schien es nicht zu bemerken. Sie wollte, daß er weiter sprach, bis sie nahe genug war, um den Hörer ergreifen zu können. Sie würde die Telefonistin um Hilfe bitten.

»Das weißt du doch, Lolita«, sagte er. »Weil du es warst, die behauptet hat, mich zu erkennen.«

»Vor wem soll ich das behauptet haben? Und warum?«

Sie stand jetzt beinahe neben dem Telefontischchen. Er war so in sein Gespräch versunken, daß er nicht einmal absetzte, um seine Zigarette anzuzünden.

»Soll ich deinem Gedächtnis ein bißchen nachhelfen, Schätzchen?« fragte er. »Du bist an jenem Abend ins Delikatessengeschäft auf der Third Avenue gekommen. Ein Mann ist an dir vorbeigerannt. Du hast ihn angesehen, als er davonstürmte. Dann bist du in den Laden gegangen. Du hast entdeckt, daß der Ladenbesitzer mit einer Pistole bewußtlos geschlagen und die Kasse ausgeraubt war. Du hast die Polizei verständigt. Du hast ihr den Mann beschrieben. Die Polizei hat ein Dutzend Männer aufgegriffen, mich auch. Wir alle sahen uns irgendwie ähnlich. Weil ich nämlich keine auffallende Erscheinung bin, wie?«

»Nein«, sagte Judy. »Das habe ich gleich bemerkt, als ich Sie zum erstenmal gesehen habe — vor fünf Minuten.«

Er lachte, aber es klang mehr wie ein Zischen. »Vor fünf Minuten? Du meinst wohl, vor fünf Jahren. Als man dich nämlich gefragt hat, ob du den Mann wiedererkennst. Du bist auf die Reihe zugegangen und hast auf mich gezeigt. Dabei habe ich's nicht getan, hörst du? Aber deinetwegen hat man mich vier Jahre lang nach Sing-Sing gesteckt. Deinetwegen habe ich meine Frau und meinen kleinen Jungen verloren. Und dabei hab' ich's überhaupt nicht getan, verstehst du? Ich habe es nicht getan!«

Sie stand jetzt direkt neben dem Telefon. Ihre Hände tasteten hinter ihrem Rücken nach dem Apparat. Sie setzte zu einem letzten Versuch an, vernünftig mit ihm zu reden. Mit ruhiger Stimme sagte sie: »Sie begehen den gleichen Fehler, den Sie mir vorwerfen. Ich habe nicht auf Sie gezeigt. Es muß eine andere gewesen sein, die mir sehr ähnlich sieht.«

»Du warst es.«

»Sie haben getrunken«, sagte sie. »Sie verwechseln mich. Bestimmt, ich bin nie bei Gericht gewesen.«

Er schüttelte den Kopf. »Ich habe mir dein Gesicht im Gerichtssaal genau angesehen und dein Foto in der Zeitung ebenfalls. Ich habe es noch immer. Möchtest du es sehen, Süße? Es steckt hier in meiner Brieftasche.«

Sie war überzeugt, daß er nicht ganz normal war. Sie fragte sich, welche Chance sie wohl haben würde — falls sie überhaupt dazu käme, die Polizei zu rufen. Endlich wollte er sich seine Zigarette anzünden. Er hatte sie schon zwischen den Lippen, als plötzlich die

Hintertür krachend zufiel. Es klang, als sei sie sehr energisch zugeschlagen worden. Der Mann spuckte die nicht angezündete Zigarette aus und kam mit langen Schritten zu ihr. Auf halbem Weg hielt er an, weil in der Küche flinke Schritte laut wurden.

»Mutter?« rief eine junge, dünne Stimme.

Und dann kam Toby ins Zimmer.

Toby war neun. Er hatte rotes Haar wie sein Vater, Sommersprossen und den gleichen zielstrebigen Ausdruck wie Brad. Mit entsetzt aufgerissenen Augen sah er seine Mutter und den Fremden an.

»Lauf, Toby!« schrie Judy. »Hol Hilfe! Lauf!«

Der Mann packte sie und versuchte, ihre Arme festzuhalten. Aber es gelang ihr, sich loszureißen. Mit zwei schnellen Schritten hatte der Mann sie eingeholt. Er drehte sie zu sich. Sie schrie und trat gegen seine Schienbeine. Da schlug er sie. Während sie zu Boden sank, sah sie, wie Toby sich auf den Mann stürzte und schon wild mit den Armen um sich schlug, noch ehe er ihn erreicht hatte.

»Du hast mir meinen Jungen genommen!« brüllte der Mann sie an. »Deshalb mache ich jetzt deinen fertig!«

Dann sah sie, wie er Toby schlug und nach ihm trat, bis er auf dem Boden lag. Abschließend blickte er auf sie hinab und sagte: »Jetzt sind wir quitt, Baby. Wenn du das nächstemal auf einen Mann zeigst, dann irr dich nicht wieder.«

Sie hörte, wie die Haustür geschlossen wurde, und wußte, daß er fort war. Sie kroch zum Telefon, Toby lag entsetzlich regungslos da. Sie hob den Hörer ab und sagte: »Verbinden Sie mich mit einer Klinik — Unfall...«

Es dämmerte bereits, als Brad Durant den Wagen in die Auffahrt lenkte. Daß das Haus unbeleuchtet war, beunruhigte ihn nicht. Ihm fiel ein, daß Judy am Morgen, ehe er ins Büro gegangen war, erwähnt hatte, daß Grace Nichols sie vielleicht am Nachmittag zu einem Einkaufsbummel in der Stadt abholen würde: Bestimmt waren die beiden ausgegangen und Judy war auf dem Heimweg wohl noch auf einen Sprung zu Grace mit 'reingegangen, um mit ihr einen Cocktail zu trinken. Er war den ganzen Nachmittag über nicht in der Stadt gewesen. Falls Judy versucht hatte, ihn im Büro anzurufen, um ihn zu Nichols hinzubestellen, so hatte sie ihn nicht erreichen können.

Erst als er die Haustür aufsperrte, eintrat und das Licht im Flur anknipste, schöpfte er Verdacht. Das Wohnzimmer war in Unordnung. Die Kissen lagen verstreut, der kleine Teppich war verschoben, und auf dem Boden lagen eine geknickte Zigarette und eine Streichholzschachtel. Und — wo steckte Toby eigentlich? Bestimmt nicht bei der Cocktailparty der Nichols!

Er rannte ans Telefon, das auch nicht in seiner gewohnten Ecke stand. Dann sah er den Briefumschlag, der unter dem Apparat hervorschaute. Ehe er den Inhalt noch las, erkannte er Judys runde Handschrift. Der Brief lautete:

Brad, Toby und ich sind im Memorial Hospital. Ein Unfall. Erkläre Dir alles, wenn Du kommst. Mach Dir keine Sorgen. Judy.

Mach dir keine Sorgen.

Er stürmte aus dem Haus.

Es war ein Privatzimmer, sehr hübsch und weiß und steril. Judys Mund war verquollen und violett; die Lippen waren aufgeplatzt. Ein grauenhafter Schreck überfiel ihn, als er auf sie hinabsah.

Er kniete neben ihrem Bett nieder. Mit belegter Stimme sagte er: »Judy! Liebling! Hörst du mich, Judy? Die Schwester hat mir gesagt, daß man dir Beruhigungsmittel gespritzt hat. Kannst du mir sagen, was geschehen ist?«

Sie antwortete nicht und er streichelte ihr behutsam die Stirn. Dann lösten sich unzusammenhängende Worte von ihren Lippen.

»Er — er hat mich verwechselt — weiße Knöpfe — ein Delikatessengeschäft auf der Third Avenue — er war verrückt...«

Natürlich konnte er sich keinen Reim daraus machen. Zärtlich küßte er sie auf die Stirn. »Versuch, es mir zu erzählen, Judy. Ich muß es wissen. Ich muß wissen, was geschehen ist. Und was mit Toby los ist.«

Sie schluckte. Sie nickte. »Ich — ich will's versuchen, Brad. Die Polizei war schon hier. Ich konnte nicht klar reden. Ich will's versuchen.«

Langsam und mühsam gelang es ihr, ihm von dem entsetzlichen Überfall zu berichten, zu dem es gekommen war, weil ein Verrückter sie verwechselt hatte. Der Arzt, der eben bei ihr gewesen war, habe gesagt, daß sie nicht ernstlich verletzt sei, sondern hauptsächlich einen schweren Schock erlitten hätte. Aber Toby — die Stimme brach ihr. Schließlich gelang es ihr, ihm von Toby zu erzählen.

»Der Doktor sagt, daß sein rechtes Auge durch die schweren Schläge gefährdet sei. Es ist so schrecklich! Und wie er ihn getreten hat! Der Kerl hat ihm gegen den Kopf getreten. Der Doktor sagt, vielleicht wird Toby mit dem Auge wieder sehen können, aber wir dürfen uns keine zu großen Hoffnungen machen. Und sein Gehör . . .« Wieder versagte ihr die Stimme.

»Sein Gehör?« wiederholte Brad.

»Vielleicht wird er mit dem verletzten Ohr wieder hören können. Aber vermutlich nicht.«

»Was hat die Polizei dazu gesagt?«

Sie schüttelte den Kopf. »Zu starke Beruhigungsmittel. Ich — ich konnte ihnen nichts erzählen. Sie wollen später wiederkommen, wenn ich reden kann.«

»Dieser Mann«, sagte Brad, »wie hat er ausgesehen?«

»Sehr — sehr durchschnittlich. Weder groß noch klein, nicht dick und nicht dünn. Schwer zu beschreiben . . .«

Brad lauschte mit zusammengebissenen Zähnen und geballten Händen. Er wußte, daß er diesen Mann finden und umbringen mußte. Mit eigener Hand. Er besaß der Polizei gegenüber einen Vorsprung. Die hatte vorläufig noch gar nichts ermittelt. Aber das würde bald nachgeholt sein.

Er mußte diesen Menschen selbst aufspüren. Nichts anderes konnte ihn befriedigen. Toby würde fürs ganze Leben behindert, Judys schönes Gesicht entstellt sein. Der umständliche, langsame Polizeiapparat genügte ihm nicht.

Selbst wenn die Polizei den Mann erwischte, konnte ein geschickter Anwalt eine Strafe von höchstens einem Jahr für ihn erwirken, vielleicht sogar nur von ein paar Monaten. Toby dagegen müßte sein Leben lang leiden. Und Judy . . . Nie zuvor hatte er diese hemmungslose, unbarmherzige Rachsucht in sich verspürt. Allein die Vorstellung, daß dieser Mann am Leben bleiben sollte, war ihm unerträglich.

»Judy«, sagte er mit mühsam beherrschter Stimme, »wie lange meinst du, daß er schon fort ist?«

»Wie spät ist es jetzt, Brad?«

»Zwanzig nach sechs.«

»Es war knapp vor fünf, als — als er in unser Haus gekommen ist.«

Damit hat der Mann also rund anderthalb Stunden Vorsprung, überlegte Brad. Die Wut beflügelte seine Gedanken. Der Mann mußte jemand sein, der sich nur auf der Durchreise befand. Das hatte er deutlich gesagt, nämlich, daß er ›durch die Gegend gezogen sei‹. Vielleicht war er Reisevertreter oder Wanderarbeiter, oder —

»Beschreib ihn mir noch einmal, Judy.«

Sie wiederholte ihre Schilderung. Aber sie half ihm nicht weiter. Der Mann mußte eine Dutzenderscheinung sein und aussehen wie hundert andere auch, denen man täglich auf der Straße begegnete.

Dann fiel Brad etwas ein.

»Judy«, sagte er, »du hast im Halbschlaf etwas gemurmelt. Irgend etwas von ›weißen Knöpfen‹.

»O ja, Brad, ja, ja! Er war auffallend gekleidet!«

»Falls er sich inzwischen nicht schon umgezogen hat«, sagte Brad bitter. »Was hat er angehabt?«

»Seine Kleidung sah beinahe so aus, als wollte er damit auffallen. Er trug ein marineblaues Sportsakko mit stark glänzenden weißen Knöpfen und graue Hosen.«

Brad dachte an einen Schiffer. Solche Sakkos sah man hier in der Gegend nicht häufig.

In sein Unterbewußtsein hatte sich etwas eingegraben, woran er sich jetzt zu erinnern versuchte. Plötzlich war es wieder da. »Judy«, sagte er, »als ich ins Haus kam, war alles durcheinander geworfen. Ich habe auf dem Boden Taschenstreichhölzer und eine Zigarette gesehen. Stammt das von ihm?«

Ihre Augen wurden ganz groß. »Ja, Brad, natürlich! Ich weiß es genau. Er wollte sich gerade eine Zigarette anzünden, als Toby hereinkam. Er hat die Zigarette ausgespuckt. Vermutlich hat er auch die Streichhölzer fallen lassen.«

Jetzt hatte er einen Anhaltspunkt. »Ist die Polizei schon im Haus gewesen?« fragte er sie.

»Sie — sie wollten abwarten, bis ich vernehmungsfähig bin.«

Er stand auf. »Ich werde ihnen sagen, daß du jetzt sprechen kannst«, sagte er. »Ich bin bald wieder da, Judy.« Er beugte sich übers Bett und drückte seine Lippen behutsam auf ihren verschwollenen Mund.

»Brad, was hast du vor?«

»Ich sage der Polizei, daß sie dich jetzt vernehmen kann. Dann geh ich nach Hause und leg mich schlafen.«

Er fühlte, daß sie ihm nachstarrte, als er das Krankenzimmer verließ.

Im Haus angelangt, ging er sofort zu der Stelle, wo die Taschenstreichhölzer gelegen hatten. Er fand sie auf dem Boden vor dem
Telefontischchen. Daneben lag eine unangezündete, etwas zer-
drückte Zigarette. Er hob das Streichholzbriefchen auf.

Motel ›Zur rosaroten Wolke‹ — Bundesstraße 24

Das war ein konkreter Anhaltspunkt. Er hatte der Polizei gegenüber einen Vorsprung. Er kannte das Lokal sogar, wußte genau,
wo es lag. Mit dem Auto dauerte die Fahrt bis dahin weniger als
zwanzig Minuten.

Er ging in die Garage, in der er seine Angelgeräte aufbewahrte.
In einem grünen Metallkasten fand er sein Jagdmesser mit der
langen Klinge, die in der Lederhülse steckte. Er schob das Messer
in seine Rocktasche.

Es war dunkel, als er das Motel ›Zur rosaroten Wolke‹ erreichte. Es war ein vornehmes Motel mit einem Schwimmbecken
und einer Cocktailbar. Auf dem Parkplatz neben der Bar standen
mehrere Autos. Langsam sah er sich eines nach dem anderen an.

Er parkte vor dem Motel. Dann stieg er aus, trat zu einem
Fenster neben dem Eingang und spähte ins Innere.

Die Bar war ein langer, rechteckiger Raum mit gedämpfter Beleuchtung. Die Gesichter am anderen Ende konnte er nicht erkennen, dazu war es zu düster, aber die vorn sitzenden Gäste sah er
deutlich. Sein Herz pochte hastig, als er den Mann am Fenster erblickte, der sich mit einer Blondine unterhielt.

Der Mann trug ein marineblaues Sportsakko mit glänzenden
weißen Knöpfen, dazu graue Hosen. Auch alles andere an ihm
paßte zu Judys Beschreibung — unauffällig in Größe, Statur und
Erscheinung.

Brad wartete neben dem Fenster. Zehn Minuten verflossen.
Fünfzehn. Zwanzig. Endlich sah er, wie die Blondine die Schulter
des Mannes tätschelte und sich entfernte. Der Mann trank sein
Glas mit einem Zug leer, ließ ein paar Münzen auf der Theke liegen und ging mit eiligen Schritten auf die Eingangstür zu.

Brad versteckte sich hinter der Ecke des Hauses beim Parkplatz.
Er zog das lange Jagdmesser aus der Hülle. Völlig reglos stand er
im Schatten des Motels, als sich das Geräusch von Schritten
näherte.

Der Mann im marineblauen Sakko mit den glänzenden weißen
Knöpfen kam um die Ecke. Er sah Brad nicht. Brad wartete, um

seiner Sache ganz sicher zu sein. Falls der Mann zu der grauen Limousine ging.

Der Mann ging zur grauen Limousine. Brad holte ihn ein, als er eben den Wagenschlag öffnen wollte. Der Mann hörte ihn und drehte sich um. Etwas in Brads Miene mußte ihn zutiefst erschreckt haben. Dann sah er das Messer in Brads Hand und versuchte, fortzulaufen.

Brad verstellte ihm den Weg. Als er ihm ausweichen wollte, stellte Brad ihm ein Bein. Der Mann landete bäuchlings auf dem Boden und kollerte auf den Rücken.

Brad stand über ihm. Jetzt war der Mann wehrlos. Brad sagte nur elf Worte, ehe sein Messer zustieß: »Du hast vor zwei Stunden meine Frau und meinen Sohn besucht . . .«

Er kehrte zu seinem Wagen zurück. Das Messer steckte wieder in der Hülle in seiner Brusttasche. Er schaltete die Zündung ein und ließ den Motor laufen. Doch da — er wollte gerade losfahren, öffnete sich die Tür der Cocktailbar. Mit voller Wucht trat er auf die Bremse und starrte entgeistert auf die Tür.

Der herauskommende Mann trug ein marineblaues Sportsakko mit glänzenden weißen Knöpfen und dazu graue Hosen. Er war durchschnittlich groß, durchschnittlich breit. Er stand da und sah sich unschlüssig um.

Wieder öffnete sich die Tür. Diesmal erschien ein zweiter Mann, dann ein dritter und schließlich ein vierter — und alle trugen sie marineblaue Sakkos mit glänzenden weißen Knöpfen und dazu graue Hosen. Alle waren von durchschnittlicher Größe und durchschnittlicher Statur. Diese vier mußten sich an dem schlecht beleuchteten Ende der Bar befunden haben.

Brad hörte einen von ihnen rufen: »Fred! Hallo, Fred, wo, zum Teufel, steckst du?«

Ein zweiter Mann löste sich aus der Gruppe, kam zur Tür von Brads Wagen und spähte hinein. Er sagte: »Sagen Sie, haben Sie vielleicht vor zwei Minuten einen Mann herauskommen sehen, der genauso gekleidet war wie wir?«

»Ich bin eben erst eingetroffen«, sagte Brad. Er hörte seine eigenen schweren Atemzüge. »Warum — warum sind Sie alle völlig gleich gekleidet?«

Der junge Mann grinste. »Wollen Sie damit sagen, daß Sie noch nie 'was von den ›Fünf Blauen Noten‹ gehört haben, Sie Kanone? Wir spielen progressiven Jazz. Mit Dixie geben wir uns nicht ab.«

»Sie sind — eine Band?«

»Die beste Fünf-Mann-Combo im Land, mein Lieber. Aber jetzt müssen wir den lieben Freddy finden. Er ist unser Posaunist. Ohne den alten Fred können wir nicht aufbrechen. Vielleicht ist er nach hinten zu unserem Wagen gegangen. Na, ich muß weiter, Sportsfreund.«

Brad sah ihn zu den anderen gehen. Sie lenkten die Schritte zur grauen Limousine.

Er gab Gas und lenkte den Wagen auf die Autobahn. Er konnte nicht noch viermal zustechen, um ganz sicher zu sein, daß er den Richtigen getötet hatte. Wie sollte er der Polizei seine Tat erklären? Das war jetzt nicht mehr möglich. Denn die Chance, daß er den richtigen Mann getötet hatte, stand eins zu fünf.

Was man so Liebe nennt

Es war ein Spätnachmittag im Herbst. Marcus starrte nachdenklich aus dem hohen Flügelfenster. Sein Blick schweifte über das breite Flußtal, die vielen eng beieinanderstehenden bunten Dächer der Landhäuser und die braunen und grünen Rechtecke der Farmen und Felder. Es war ein hübscher Anblick, der dem Auge wohltat. Er hätte ihm bestimmt gefallen, wenn er ihn zwanglos und nur zur Erbauung seines Gemütes hätte genießen dürfen. Aber im Augenblick beschäftigten ihn andere Dinge. Zu seinen Füßen auf dem Boden des kleinen Zimmers, einem Zimmer, das nur drei Wände hatte, bot sich ihm ein weniger erbaulicher Anblick. Dort lag der Körper eines Mädchens. Das Mädchen war tot.

Mit einem leisen Seufzer, der für Sergeant Bobo Fuller, der im Schatten hinter ihm stand, kaum hörbar war, senkte er den Blick und ließ sich langsam auf ein Knie nieder. Das Mädchen lag mit dem Gesicht nach unten, den Kopf auf dem dunkelgrünen Kunstboden etwas zur Seite gedreht, so daß ihr Profil sichtbar war. Die blicklosen Augen der Toten standen weit offen; die Lippen hatte sie in Wut oder Schmerz oder in einer letzten Kraftanstrengung zurückgezogen. Ihre Füße zeigten auf Fuller. Der Körper lag schräg vor einem Metalltisch, der an der einen Seite an eine Wand angeschraubt war und ansonsten von zwei schlanken Stahlfüßen getragen wurde. Die Tote hatte die Arme über den Kopf geworfen; die Finger der kleinen Hände krümmten sich wie Krallen, als hätte sie in der Todessekunde verzweifelt nach einem Halt auf dem glatten Boden gesucht, um nicht von den schwarzen Engeln fortgetragen zu werden.

Nun, die Engel hatten gewonnen. Sie hat genauso verloren wie ich, dachte Marcus. Er mußte bei ihren sterblichen Überresten weilen, die in einer von bunten Farmen so hübsch geschmückten Welt recht armselig aussahen. Aber an seinem Beruf war er schließlich selbst schuld. Er betastete mit den Fingern vorsichtig das kurze helle Kopfhaar, fand die Stelle hinter dem Scheitel und fühlte angeekelt, wie einige Blutstropfen an den Fingerspitzen kleben blieben. Er richtete sich auf und seufzte nochmals leise.

Der Metalltisch war im Grunde nichts weiter als eine gerade Arbeitsfläche. Davor stand ein Stuhl, ebenfalls aus Metall. Die Sitzfläche des Stuhls war unter die Tischplatte geschoben, die Stuhllehne stieß an den Tischrand an. Auf dem Tisch lagen weder Bücher noch Schriften; er war leer.

»Sie ist von hinten mit einem stumpfen, schweren Gegenstand niedergeschlagen worden«, sagte Marcus. »Wurde die Mordwaffe gefunden?«

Sergeant Bobo Fuller trat aus dem dunklen Hintergrund. Er mochte Marcus nicht, und Marcus war sich dieser Abneigung voll bewußt, aber sie störte ihn nicht. Fuller äußerte sich nur, wenn er gefragt wurde und er unterstützte Marcus nur so weit, wie es auf Grund seiner Stellung von ihm erwartet wurde. Was Marcus anbelangte, so teilte er Fullers Groll nicht, sondern fand ihn für gewöhnlich bloß erheiternd. Er empfand Fuller mehr als Anregung; für ihn war er ein ständiger Ansporn für eigene Höchstleistungen. Sonst hätte er wohl getan, was Fuller offenbar wünschte, nämlich um einen anderen Mitarbeiter gebeten. Dann wäre Fuller frei gewesen und hätte sich einer bequemeren Tätigkeit hingeben können.

»Wir haben sie nicht gefunden«, sagte Fuller. »Der Täter muß sie versteckt oder mitgenommen haben. Aber wir werden natürlich weiterhin danach suchen.«

»Sechs Reihen. Zehntausend Bücher in mehr als tausend Regalen. Der Täter kann die Tatwaffe hinter irgendeinem Buch versteckt haben. Ich beneide Sie nicht um Ihre Aufgabe, Fuller.«

»Wenn die Mordwaffe hier ist, werden wir sie auch finden.«

»Sie wird kaum hier sein. Aber trotzdem viel Glück.«

Marcus trat zurück und schaute sich gleichmütig, fast desinteressiert im Raum um. Als sein Blick wieder auf das offene Flügelfenster fiel, bemerkte er abwesend: »Abby Randal — Sie sagten doch, daß sie so geheißen hat?«

»Ganz recht. Abby als Koseform von Abigail.«

»Ich schätze, daß sie etwa eine Stunde tot ist. Sind Sie auch dieser Meinung?«

»Ja, das dürfte stimmen.«

»Wo nur ihre Bücher und Schriften sind?«

»Woraus schließen Sie, daß sie welche bei sich gehabt hat?«

»Nun, diese kleinen Zimmer beziehungsweise Studierecken am Ende jeder Bücherreihe dienen zum Arbeiten. Im allgemeinen benötigt man dazu Bücher oder Skripten. Zumindest Bücher. Und ich frage mich, wo die geblieben sind.«

»Ich könnte mir vorstellen, daß einer, der dazu Lust hat, diese Ecken auch für einen anderen Zweck als das Studium benützen könnte. Das, woran ich denke, setzt keine Bücher voraus.«

»Sie haben eine schmutzige Phantasie, Fuller, aber ich auch. Sie glauben also an einen Streit zwischen Liebenden?«

»So würde ich das nicht nennen. Ich glaube, ein zärtlicher Geliebter schlägt seiner Freundin wohl kaum den Schädel ein. Meiner Meinung nach jedenfalls nicht. So was läßt sich nicht direkt als wahre Liebe bezeichnen.«

»Also eine nicht übermäßig zärtliche Trennung. Eifersucht äußert sich manchmal sehr bösartig, Fuller.«

»Möglich«, meinte Fuller.

»Na, ich räume lieber den Platz, damit die Kollegen von der Spurensicherung herein können. Wahrscheinlich werden sie kaum etwas entdecken, was wir nicht bereits wissen; und das ist leider nicht viel. Sie werden jeden Augenblick eintreffen. Sie haben gute Arbeit geleistet, Fuller.«

Das Lob war verdient, und Fuller hätte sich darüber freuen können, aber er tat es nicht. Ja, er ärgerte sich sogar darüber. Nach dem Telefonanruf war er ganz allein hierher gekommen und hatte alles Notwendige unternommen, bevor Marcus eingetroffen war. Seiner Meinung nach war die Andeutung, daß er auch hätte weniger leisten können, eine beabsichtigte Spitze.

»Danke«, antwortete er. »Ich warte auf die anderen.«

»In Ordnung«, sagte Marcus und sah sich noch einmal den Tatort genauer an. Er ging an Fuller vorbei zu dem schmalen Quergang, der parallel zu der Reihe der kleinen Studierecken verlief. Er sah direkt in einen der zahlreichen rechtwinkligen Gänge zwischen den Bücherregalen, die bis an die niedrige Decke reichten. Er befand sich in der Reihe C der Universitätsbibliothek, die am westlichen Ende der Stadt lag, und in der er sich im Augenblick sein Brot und seinen Pensionsanspruch verdienen mußte. Zu dieser Reihe war vorübergehend jeder Zutritt gesperrt worden. Abgesehen von den Lampen, die auf dem Gang brannten, lag alles im Dunkeln.

»Überprüfen wir, ob ich alles richtig verstanden habe«, sagte Marcus und wandte sich noch einmal an Fuller. »Der Chefbibliothekar heißt Henry Busch. Das Mädchen, das die Tote entdeckt hat, heißt Lena Hayes. Der junge Mann, der am heutigen Nachmittag die Bücher ausgegeben hat, heißt Lonnie Carrol. Richtig?«

»Richtig. Ich habe den Leuten gesagt, sie sollten im Büro des Bibliothekars warten. Das liegt ein Stockwerk höher und zwei Reihen weiter. Dort werden Sie alle vorfinden.«

»Gut. Ich gehe jetzt 'rauf. Und Sie machen hier weiter, Fuller.«

Weitermachen bedeutete, soweit Fuller das beurteilen konnte, im Augenblick nichts anderes, als aufzupassen — wie ein braver Wachhund. Das tat er denn auch. Er ging zu diesem Zweck ans Fenster, von dem aus er das Tal mit einer Voreingenommenheit betrachtete, was zur Folge hatte, daß es ihm wenig gefiel. Marcus ging inzwischen den erleuchteten Gang entlang und stieg die beiden kurzen Stahltreppen hoch, wandte sich sodann nach rechts und gelangte in einen großen, hohen Raum. Er sah, daß sich daneben ein anderer Raum mit langen Tischen befand. An jedem Tisch standen sechs Stühle. In den Wandregalen türmten sich die Nachschlagewerke. Gleich rechts neben ihm war ein abgeteiltes Viereck, das an zwei Seiten von einem hohen Pult, der Bücherausgabe, und an den restlichen beiden Seiten von zwei Wänden begrenzt wurde. Zwischen der Bücherausgabe und einer anderen Wand verlief ein niedriges Holzgitter mit einer eingelassenen Tür. Diese Tür schnappte automatisch zu, wenn sie geschlossen wurde, und das elektrische Schnappschloß öffnete sich nur, wenn die Person, die bei der Bücherausgabe Dienst versah, bereit war, auf einen bestimmten Knopf zu drücken. Dadurch war jedem der Zutritt zu den Buchreihen verwehrt, der keinen Einlaßschein vorweisen konnte. Marcus hatte keinen Schein, aber er genoß Sonderrechte. Er wartete an der Sperre, bis ihm ein Summton verriet, daß auf den Knopf gedrückt worden war. Dann schritt er mit einem überwältigenden Gefühl der Überlegenheit in den einladenderen Teil hinter dem Gatter.

Im Büro des Bibliothekars traf er die drei Personen an, die Fuller ihm versprochen hatte. Henry Busch war ein hochgewachsener schlanker Mann, dessen glattes schwarzes Haar von einigen grauen Fäden durchzogen war. Diese grauen Strähnen wirkten, als hätte er sie wegen des interessanteren Aussehens vom Friseur tönen lassen; aber sein schmales Asketengesicht und die ernsten Augen hinter den dicken Gläsern einer breiten Hornbrille entkräfteten diesen Verdacht. Marcus fand, daß diesem Mann eine solche Eitelkeit nicht zuzutrauen war. Lonnie Carrol sah sonderbarerweise wie eine bedeutend jüngere, nur leicht abgeänderte Ausgabe Buschs aus. Er war etwa so groß und so schwer wie Busch, und auch der Schädel und das Gesicht waren ähnlich geformt. Allerdings fehlten in seinem schwarzen Haar die grauen Strähnen. Seine Augen und die Brille erinnerten wiederum an Busch. Lena Hayes war eine Augenweide. Marcus war auf eine derart angenehme Überraschung in einer Bibliothek nicht gefaßt gewesen. Er betrachtete sie voller Wohlgefallen. Ihr dichtes, weiches, glattgebürstetes braunes Haar schimmerte wie poliertes Nußholz in dem künstlichen Licht. Ihr Pullover verriet höchst ansprechende Kurven, und ihr kurzer modischer Rock ließ ihre schmalen Hüften und ihre wohlgeformten Beine zur Geltung kommen. Marcus' Junggesellenherz pochte ob dieses appetitlichen Anblicks einige Takte schneller. Lena, so fand er, könnte sich ohne weiteres neben ihren Studien als Strip-tease-Tänzerin ihren Lebensunterhalt verdienen.

»Mr. Busch?« sagte Marcus. »Ich bin Leutnant Marcus. Oder muß ich Sie mit Doktor ansprechen?«

»Das spielt doch wirklich keine Rolle. Ganz, wie Sie wollen.« Busch kam ihm entgegen und streckte ihm die Hand hin. »Kommen Sie, Leutnant. Wir haben auf Sie gewartet.«

»Ich weiß, daß Sie ein vielbeschäftigter Mann sind«, sagte Marcus und ergriff die dargebotene Hand. »Ich werde versuchen, Sie nicht lange aufzuhalten.«

»Wir stehen Ihnen selbstverständlich alle zur Verfügung. Darf ich vorstellen: das ist Miß Lena Hayes — und dieser junge Mann hier ist Mr. Lonnie Carrol.«

Marcus nickte beiden zu und widerstand der Versuchung, den Blick länger auf Lena Hayes als auf Lonnie Carrol ruhen zu lassen.

»Wie ich höre«, begann Marcus, »sind Sie alle in irgendeiner Weise in diesen bedauernswerten Vorfall, der sich heute nachmittag im Büchersaal ereignete, verwickelt.«

»Das stimmt nicht ganz«, sagte Busch. »Ich bin nur in meiner Eigenschaft als Bibliothekar hier. Im Grunde bin ich nur für das verantwortlich, was in meinem Aufgabenkreis geschieht. Übrigens ist das eine fürchterliche Sache. Absolut unglaublich.«

»Alles, was geschieht, ist glaubhaft«, versetzte Marcus überlegt. »Aber vielleicht können wir die Angelegenheit rasch und ohne viel Aufhebens erledigen.«

»Hoffen wir es. Aber ich fürchte, daß keiner von uns Ihnen sehr helfen kann. Aber Sie werden das besser beurteilen können. Ich nehme an, daß Sie uns verschiedene Fragen stellen wollen. Wir werden versuchen, Sie nach besten Kräften zu unterstützen.«

»Gut. Mehr kann ich ja nicht verlangen.« Marcus setzte sich auf einen Stuhl, der ihm hingeschoben worden war, und Busch nahm wieder hinter seinem Tisch Platz. »Vor allem interessiert mich, ob einer von Ihnen das Opfer persönlich gekannt hat.«

»Ich kann nur für meine Person antworten«, sagte Busch. »Ich habe sie flüchtig gekannt. Sie hatte ihr Studium bereits beendet und bereitete ihre Dissertation vor. Natürlich hielt sie sich wegen verschiedener Quellennachweise häufig im Büchersaal auf. Sie hat mich aber nie um Hilfe gebeten. Wenn ich mit ihr sprach, so beschränkte sich die Unterhaltung auf wenige alltägliche Dinge.«

»Haben Sie sie gesehen, als sie heute in die Bibliothek gekommen ist?«

»Nein.«

Seine nächste Frage richtete Marcus an Lonnie Carrol. »Es stimmt doch, daß Sie heute die Bücherausgabe überwachten«, sagte er. »Sie müssen sie also hereingelassen haben.«

»Richtig, das habe ich«, antwortete Carrol.

»Sprachen Sie mit ihr?«

»Ja. Ich hatte sie nicht gleich bemerkt und sie bat mich, den Türöffner für sie zu betätigen.«

»Trug sie etwas bei sich? Irgendwelche Bücher oder Skripten, meine ich.«

»Ich glaube nicht. Nein, bestimmt nicht. Sie hat ihre Unterlagen immer in einer Aktenmappe getragen und die hatte sie heute nicht dabei. Jetzt fällt mir erst auf, daß sie nicht einmal eine Handtasche bei sich hatte.«

»War das nicht etwas merkwürdig? Schließlich suchen die Studenten die Bibliothek zu Studienzwecken auf. Dazu benötigen sie doch meist gewisse Unterlagen, oder nicht?«

»Nicht unbedingt. Vielleicht wollte sie nur etwas in einem der Bücher nachlesen.«

»Ach so. Sie könnte aber auch hergekommen sein, um hier jemand zu treffen. Jedenfalls traf sie — ob das Absicht oder Zufall war, werden wir sehen — jemand; und dieser Jemand hat sie ermordet.«

»Offensichtlich.«

Die Bemerkung war harmlos und nichts weiter als die Bekräftigung einer einleuchtenden Wahrheit; aber Marcus vermeinte darin eine Spur von Spott zu entdecken. Nun, er hatte nicht gerade etwas besonders Geistreiches und Neues gesagt. Er hatte nur den Tatbestand wiederholt, und der bedurfte keines Kommentars. Trotzdem wußte er nicht genau, ob er Lonnie Carrol unsympathisch finden sollte. Seiner Meinung nach sollten junge Männer älteren gegenüber mehr Toleranz zeigen. Auch wenn sie, wie er in Gedanken gereizt konstatierte, so glatt und selbstsicher sind wie Lonnie Carrol. Er fühlte, daß er auf dem besten Weg war, ein Vorurteil zu fassen, und er beschloß deshalb, besonders freundlich zu sein.

»Sie sagen es — offensichtlich«, sagte er. »Würden Sie bitte so freundlich sein und auch meine erste Frage beantworten? Das heißt, kannten Sie Abby Randal persönlich?«

»Ja.« Lonnie Carrol beugte sich vor und wischte sich die Handflächen an den Knien ab, als schwitze er. Marcus sah mit Genugtuung, daß er doch nicht so selbstsicher war, wie er sein wollte. »Ich halte es für besser, daß ich Sie gleich über die Art unserer Bekanntschaft aufkläre. Denn ich möchte nicht, daß meine Beziehung zu diesem Mädchen später, wenn zufällig davon die Rede ist, aufgebauscht oder falsch gedeutet wird.«

»Sehr vernünftig«, sagte Marcus. »Es ist ebenfalls in unserem Interesse, Mißverständnisse möglichst zu vermeiden.«

»Nun, tatsächlich bin ich im Laufe dieses Sommers verschiedene Male mit Abby ausgegangen. Wir haben uns beide im Sommersemester kennengelernt und trafen uns mehrmals.«

»Wie oft ist mehrmals?«

»Ach, das weiß ich nicht. Ich habe nicht Buch darüber geführt. Sagen wir, ein dutzendmal.«

»Sehr gut. Das ist eine runde Zahl. Was haben Sie bei diesen Zusammenkünften getan?«

»Nichts Besonderes. Wir sind zum Beispiel in die Stadt ins Kino gefahren; zweimal waren wir tanzen. Meist sind wir aber bloß auf dem College-Gelände spazieren gegangen und haben über dies und das gesprochen. Sie war klug und schlagfertig. Eine Zeitlang fand ich ihre Gesellschaft anregend; doch auf einmal hatte ich kein Interesse mehr.«

»Ich könnte mir vorstellen, daß man auf solchen Spaziergängen und bei derartigen Diskussionen einen Menschen ziemlich gut kennenlernt. Was für ein Mensch war sie Ihrer Meinung nach?«

»Sie war intelligent. Das sagte ich bereits. Und zäh. Aber das in positivem Sinne. Sie war realistisch. Sie hat gewußt, was sie wollte. Ich nehme an, daß sie keine Skrupel hatte, sich auch zu holen, was sie wollte. Ich glaube, sie stammte aus armen Verhältnissen. Sie hat mir erzählt, daß ihre Eltern tot seien. Ich vermute, daß sie einen langen und steinigen Weg hinter sich hatte, um sich das Studium leisten zu können. Sie hat gern geflucht, aber das hat bei ihr kaum gestört und ist nicht weiter aufgefallen. Vermutlich drückten sich hierin ihr Selbsterhaltungstrieb aus und ihre Zähigkeit, die sie hatte entwickeln müssen, um sich bis zur Doktorandin emporzuarbeiten. Sie wirkte jedenfalls absolut nicht vulgär. Sie war gebildet und überraschend feinfühlig und hatte auf vielen Gebieten einen guten Geschmack.«

»Ich glaube, ich verstehe, was Sie sagen wollen. Ein kluges, zielstrebiges Mädchen mit einem anständigen Kern, das gleichzeitig fähig war, ihre Chancen voll auszunützen.«

»Ja, die Charakterisierung trifft ungefähr zu.«

»Und obendrein war sie hübsch. Das sieht man selbst jetzt noch. Das war günstig für ihre ehrgeizigen Pläne; denn hübsche Mädchen haben bessere Chancen.«

»Ja, sie war unbedingt anziehend. Allerdings war sie nicht mein Typ.«

Marcus war plötzlich überzeugt, daß hinter dieser Bemerkung eine bestimmte Absicht steckte. Schon die ganze Zeit über hatte er den unklaren Verdacht gehegt, daß die Schilderung des jungen Mannes nicht nur für ihn bestimmt war. Zwar sah Lonnie Carrol ihn während des Sprechens unverwandt an, aber in Wirklichkeit waren seine Worte an Lena Hayes gerichtet. Es war mehr oder weniger ein Geständnis gewesen. Davon war Marcus überzeugt. Nach einem verstohlenen Blick auf Lenas Hand stellte er auch fest, daß dort ein Brillantring funkelte. Ihre Hände, die in ihrem Schoß lagen, zuckten sekundenlang. Er hob den Blick und sah, daß ihr Gesicht leichte Verachtung ausdrückte, so als sei die kleine Untreue des Sommers für sie völlig bedeutungslos. Nach Marcus' Überzeugung schien sie das wohl auch gewesen zu sein. Es sei denn, sie hätte irgendwie mit dem Mord zu tun.

»Die Geschmäcker sind verschieden«, sagte er, »Miß Hayes, wie gut haben Sie Abby Randal gekannt?«

»Fast gar nicht.«

»Sie haben die Tote entdeckt«, fuhr Marcus fort. »Das muß ein ziemlicher Schock für Sie gewesen sein.«

»Erfreulich war es jedenfalls nicht.«

»Wie reagierten Sie?«

»Ich bin sofort zur Bücherausgabe gegangen und habe es Lonnie erzählt. Lonnie hat Mr. Busch geholt.«

»Sie haben nicht aufgeschrien?«

»Das liegt mir nicht.«

»Ich wollte bloß wissen, ob Sie damit mehrere Personen auf Ihre Entdeckung aufmerksam gemacht haben könnten. Deshalb meine Frage.«

»Nein, bestimmt nicht. Ich bin auch sicher, daß nur wenige von uns wissen, was geschehen ist. Zur Zeit der Tat war jener Teil der Bibliothek leer, und Mr. Busch sperrte ihn sofort für sämtliche Studenten und Universitätsangestellten. Natürlich wissen viele, daß etwas geschehen ist, aber Näheres ist ihnen nicht bekannt.«

»Sie scheinen eine vernünftige junge Dame zu sein, Miß Hayes. Die Polizei weiß das zu schätzen. Was hatten Sie eigentlich um diese Zeit bei den Bücherregalen der Reihe C zu suchen?«

»Ich war nicht nur bei der Reihe C. Ich ging sämtliche Reihen ab. Die Beleuchtung eines jeden Ganges kann durch einen Schalter am Ende des Raumes eingeschaltet werden. Die Studenten können sich Licht machen, wenn sie es brauchen, und sollen es abdrehen, wenn sie gehen. Nur tun sie das oft nicht. Ich meine, das Licht wieder ausschalten. Deshalb ging ich durch die Reihen. Im allgemeinen tue ich das zwei- bis dreimal täglich. Wir haben hier nämlich Sparmaßnahmen eingeführt.«

»Das scheint eine ansteckende Gewohnheit zu sein. Dann sind Sie also bei Ihrem Rundgang rein zufällig auf die Leiche Abby Randals gestoßen?«

»Ja. Ich fand die Tote und dann tat ich, was ich Ihnen bereits geschildert habe.«

»Sie haben sich vorbildlich benommen, das muß ich schon sagen.« Marcus wandte sich wieder an Lonnie Carrol. »Wie lange haben Sie vor Entdeckung der Toten schon an der Bücherausgabe gesessen?«

»Ich habe den Dienst mittags angetreten. Also ungefähr zwei Stunden vorher.«

»Können Sie mir sagen, wen Sie um diese Zeit sonst noch eingelassen haben?«

»Unmöglich.« Lonnie Carrol schüttelte den Kopf, als sähe er in dieser Frage eine Zumutung. »Das ist wirklich ausgeschlossen.«

»Wieso? Heißt das, Sie dürfen es nicht sagen?«

»Keineswegs. Ich weiß es nur nicht. Ich lasse die Studenten ganz automatisch ein. Erkennt man einen von ihnen, dann drückt man auf den Knopf. Erkennt man ihn nicht, sieht man seinen Einlaßschein an und drückt dann auf den Knopf. Ich habe immer zu tun und nehme die Leute, die ich einlasse, kaum zur Kenntnis. Also kann von Erinnerung keine Rede sein. Ich könnte Ihnen eine lange Liste jener aufzählen, die regelmäßig kommen, aber ich wüßte nicht, wer heute nachmittag hier gewesen ist.«

»Aber an Abby Randal haben Sie sich doch erinnert, nicht wahr? Sie wußten sogar, daß sie weder eine Aktentasche noch eine Handtasche bei sich hatte.«

»Aber nur, weil sie ermordet worden ist. Wäre ihr nichts geschehen, könnte ich Ihnen im Augenblick auch nicht mit Bestimmtheit sagen, ob sie heute nachmittag hier war oder nicht. Wenn ich es versuche, kann ich Ihnen vielleicht einige Leute nennen, aber ich wüßte wirklich nicht, um welche Zeit sie gekommen und gegangen sind.«

»Wissen Sie, wann Abby Randal eingetroffen ist?«

»Nein. Und bei einer Schätzung könnte ich mich um dreißig Minuten irren.«

»Sie sind keine große Hilfe.«

»Tut mir leid.«

»Nun, sollten Sie sich plötzlich an etwas Bestimmtes erinnern, dann schreiben Sie es nieder.« Unvermittelt wandte Marcus sich nun wieder an Henry Busch. »Gibt es zum Archiv noch andere Eingänge?«

»Ja, natürlich. Mindestens einen in jedem Stockwerk und außerdem noch eine Außentür, die zu dem Weg hinter dem Gebäude führt.«

»Ist es möglich, daß heute nachmittag jemand den Büchersaal durch eine dieser Türen betreten hat?«

»Möglich wohl, aber unwahrscheinlich. Wir halten diese Türen ständig versperrt. Nur das Bibliothekspersonal besitzt Schlüssel und benützt diese Türen regelmäßig.«

»Also hätte jeder Angestellte durch eine dieser Türen kommen können?«

»Ja.« Bei dieser Frage huschte ein gekränkter Zug über das magere Gesicht des Bibliothekars, als fände er diese Unterstellung unhaltbar und lächerlich. »Jeder, wie ich sagte, der einen Schlüssel besitzt.«

»Lassen sich diese Türen von innen ohne Schlüssel öffnen?«

»Ja. An jeder Tür befinden sich Riegel. Wird der Riegel niedergedrückt, dann springt das Schloß auf.«

»In diesem Fall bieten praktisch sämtliche Türen eine Ausgangsmöglichkeit. Der Mörder hätte das Archiv durch jede dieser Türen verlassen können.«

»Das stimmt.«

»Wie erfreulich. Nichts ist so angenehm, wie die Entdeckung von Komplikationen.« Marcus stand plötzlich auf und schlug sich auf den Schenkel, als hätte er über dieser undurchsichtigen Geschichte endgültig die Geduld verloren. »Na, dann gehe ich lieber und überlasse Sie wieder Ihrer Arbeit. Allerdings hätte ich gern noch Abby Randals Adresse. Besitzen Sie ein Studentenverzeichnis oder etwas in dieser Art?«

»Das neue ist noch nicht erschienen.« Henry Busch wandte sich an Lonnie Carrol. »Sie waren im Sommer mit Miß Randal befreundet, Lonnie. Vielleicht können Sie dem Leutnant die Adresse geben.«

»Sie hat damals als Untermieterin ein Zimmer in der Morgan Street 812 bewohnt«, sagte Lonnie. »Vielleicht wohnt sie immer noch dort. Das entzieht sich meiner Kenntnis.«

Wieder richtete er seine Worte an Lena Hayes. Er wollte ihr zeigen, daß er keine Verbindung mehr hatte. Das Interesse des Sommers war endgültig vorbei und wirkte in der kühlen Herbstluft unbegreiflich und bedauerlich. Bitte, Liebling, kannst du nicht verzeihen und vergessen? schienen Lonnies Worte zu sagen. Marcus notierte sich die Adresse und verabschiedete sich.

Er ging zum Archiv zurück und traf Fuller. Der Gerichtsarzt war inzwischen dagewesen und bereits wieder gegangen. Abby Randal lag in einem Korb, bereit für den Abtransport. Die beiden Kollegen von der Spurensicherung beendeten ihre Routinearbeit; vermutlich hatten sie nichts herausgefunden. Er überließ Fuller seiner Tätigkeit und verließ das Haus.

Er wanderte um das Bibliotheksgebäude, stieg mehrere steile Stufen hoch auf den Hügel und schlenderte dann zu seinem auf der Straße parkenden Wagen. Er entfernte sich langsam vom Universitätsgelände in Richtung Morgan Street. Nummer 812 war ein zweistöckiger Holzbau, der vor ewigen Zeiten einmal weiß getüncht worden war. Marcus mußte eine Veranda überqueren, um zur Haustür zu gelangen. Die Wirtin, die ihm nach kurzem Warten auf sein Läuten hin öffnete, war eine ältliche Frau. Sie sah traurig und erschöpft aus, wie ein Mensch, dem langsam und unabwendbar die Luft ausging. Marcus nahm an, daß sie eine der vielen Witwen war, die, in der Umgebung der Universität wohnend, sich durch Zimmervermietung ihre Rente aufbesserten.

Marcus stellte sich vor und bat, sich Abby Randals Zimmer ansehen zu dürfen. Nachdem die Vermieterin sich über die in ihren Augen unangemessene Bitte entsprechend entsetzt gezeigt hatte, verlangte sie streng den Grund seines Wunsches zu erfahren. Marcus teilte ihr das mit, was in Kürze ohnehin jeder wissen würde. Bei seinen Worten vertiefte sich ihr Entsetzen derart, daß er einen Augenblick lang schon glaubte, die Pensionsversicherung würde ihrer Pflichten bald enthoben sein. Die Frau nahm sich jedoch zusammen und begleitete ihn nach oben. Sie stand auf der Schwelle, haltsuchend an den Türpfosten gelehnt, während Marcus das Zimmer durchsuchte und sich die Habe der verstorbenen Bewohnerin ansah.

Er hätte sich die Mühe sparen können. Im Schrank hing bescheidene Garderobe. Auf dem Boden des Schranks befanden sich zwei Paar Schuhe; eines mit hohen Absätzen, das zweite mit flachen. Im Bücherschrank standen, soweit er das beurteilen konnte, gute Bücher, hauptsächlich Taschenbuchausgaben. An den Wänden hingen vor dem verblichenen Hintergrund einer bedruckten Tapete zwei ausgezeichnete Kopien berühmter Bilder. Gegen Abby Randals Geschmack war nichts einzuwenden, aber es hatten ihr sichtlich die Mittel gefehlt, ihm zu frönen. Er fand keinerlei Briefe, nicht einen einzigen. Offenbar war sie nicht nur eine Waise gewesen, wie Lonnie Carrol gesagt hatte, sondern hatte auch keine Freunde gehabt. Oder die Freunde schrieben keine Briefe. Oder, falls sie schrieben, bewahrte Abby die Briefe nicht auf. Kurz, es gab keinerlei Hinweise darauf, wer sie wirklich gewesen war oder wer Ursache gehabt haben könnte, sie zu ermorden. In der obersten Lade einer Kommode fand Marcus dreiundzwanzig Dollar.

Ja, wovon hatte sie überhaupt gelebt? Sie mußte irgendwo gearbeitet haben. Vielleicht sollte er dieser Spur nachgehen. Es gelang ihm allmählich, sich ein abgerundetes Bild von ihr zu machen. Ein hübsches Mädchen. Ein intelligentes, ehrgeiziges Mädchen. Ein armes Mädchen, das Qualität zu erkennen vermochte.

»Wer sind ihre Freunde gewesen?« fragte er. »Hat sie viele gehabt?«

»Nicht viele.« Die Wirtin schnaufte noch immer ziemlich heftig, entweder wegen der Aufregung oder vom Treppensteigen. »Sie war zu den drei anderen Mädchen, die hier wohnen, immer sehr höflich, aber nicht herzlich. Im Sommer ist sie mit einem jungen Mann ausgegangen, aber ich glaube, das ist vorbei. Sie hat mir gesagt, er heißt Carrol. Lonnie Carrol. Das war der einzige, von dem ich wüßte. Mit Ausnahme von Mr. Ekke.«

»Ekke? Wer ist das?«

»Richard Ekke ist einer der Lehrer an der Universität. Er ist jung, ein Assistent, glaube ich. Im Sommer hat er Miß Randal Nachhilfeunterricht in französischer Sprache gegeben. Sie hat an einer Dissertation gearbeitet und mußte gut Französisch können, um gewisse Nachschlagewerke benützen zu können.«

»Verstehe. Vielleicht kann Mr. Ekke mir mehr über Abby Randal erzählen. Wissen Sie, wo ich ihn finden kann?«

»Auswendig nicht. Aber falls er Telefon hat, müßte er im Telefonbuch stehen.«

»Hier gibt es für mich keine Arbeit mehr. Gehen wir nach unten und sehen wir im Telefonbuch nach.«

Sie stiegen die Treppe hinunter und die Wirtin machte im unteren Flur Licht, damit Marcus den kleinen Druck des Telefonbuchs besser lesen konnte. Er blätterte im Telefonbuch, bis er auf Richard Ekke stieß.

»Wymore Hall«, las er laut. »Das liegt innerhalb des Universitätsgeländes, nicht wahr?«

»Beinahe. Es grenzt daran. Die Häuser sind für die Junggesellen der Fakultät reserviert, aber wenn genügend Platz ist, vermieten sie auch an Studenten.«

»Sie haben mir sehr geholfen.« Marcus klappte das Telefonbuch zu und ging zur Tür. »Vielen Dank.«

»Ich bin froh, daß ich etwas für Sie tun konnte. Die arme, kleine Miß Randal! Armes, kleines Ding!«

Ja, dachte Marcus auf seiner Fahrt zu Richard Ekke, armes kleines Ding. Das war wohl eine passende Beschreibung all dessen, was von Abby Randal zwischen den Bücherregalen übriggeblieben war.

Es wurde dunkel, und er schaltete die Scheinwerfer ein. Wymore Hall lag am anderen Ende des Universitätsgeländes. Es war ein langer zweistöckiger Ziegelbau. Hinter dem Vorraum lag ein kleiner Aufenthaltsraum, in dem abgeschirmte Lampen anheimelndes Licht verbreiteten. Ein junger Mann versah Dienst an der Rezeption. Marcus meldete sich bei ihm.

»Ich möchte Mr. Ekke sprechen. Ich bin Detektiv-Leutnant Joseph Marcus.«

Der Titel wirkte mit jener ans Wunderbare grenzenden Schnelligkeit, die er erwartet hatte. Er wurde aufgefordert, es sich im Aufenthaltsraum bequem zu machen. Mr. Ekke, der eben erst zurückgekommen war, würde augenblicklich geholt werden, sagte man ihm. Marcus nahm Platz, und etwa fünf Minuten später erschien Mr. Ekke. Er war ein junger Mann mit kurzem hellblondem Haar und blauen Augen. Er sah gut aus und hatte einen energischen Händedruck.

»Leutnant Marcus?« sagte er, ohne eine begreifliche Nervosität zu verschleiern.

»Ich stelle Erkundigungen über Miß Abby Randal an«, sagte Marcus. »Sie scheint sehr wenig bekannt gewesen zu sein, und ich dachte, Sie könnten mein Wissen vielleicht etwas erweitern.«

»Ich fürchte, nein. Ich weiß selbst kaum etwas über sie.«

»Sie gaben ihr im Sommer Französischunterricht, nicht wahr?«

»Das stimmt. Aber Französischstunden sind nicht besonders aufschlußreich. Darf ich fragen, weshalb Sie sich für Abby interessieren?«

»Sie wurde ermordet.«

»Du lieber Himmel!« Richard Ekkes Mund blieb einen Augenblick lang offen und seine blauen Augen wirkten durch das plötzliche Entsetzen wie blind. »Wo? Wann? Wie?«

»Sie haben ein ausgeprägtes Empfinden für das Wesentliche, Mr. Ekke.« Marcus gestattete sich ein flüchtiges Lächeln. »In der Bibliothek. Heute nachmittag. Durch einen Hieb auf den Kopf.«

»Wie grauenhaft! Ich wollte, ich könnte Ihnen helfen.«

»Vielleicht können Sie das. Wir werden sehen. Wie oft sind Sie im Sommer mit Abby Randal beisammen gewesen?«

»Zwei Abende pro Woche und das etwa drei Monate hindurch.«

»Eine ziemlich lange Zeit. Da müßten Sie doch irgend etwas über sie erfahren haben.«

»Nicht viel. Sie war aufgeweckt und hatte ein gutes Auffassungsvermögen; aber ich glaube kaum, daß das von Bedeutung ist.«

»Nicht besonders. Wo fanden diese Stunden statt?«

»Mal da, mal dort. Es ging dabei sehr ungezwungen zu. Manch-mal benützten wir ein Studierzimmer in der Bibliothek, manchmal saßen wir auf einer Bank des Universitätsgeländes. Dann wieder verbanden wir das Geschäft mit einem Glas Bier in dem einen oder anderen Studentenlokal.«

»Verstehe. Und sie hat Ihnen nie etwas über ihr Privatleben erzählt? Nicht einmal bei einem Glas Bier?«

»Nie. Unsere Verbindung war ganz sachlich.«

»Schade. Ich hatte gehofft, daß diese Studentin-Lehrer-Verbin-dung in etwas privatere Bahnen geglitten wäre. Hier und da ge-schieht ja so etwas.«

»Bei uns nicht. Da muß ich Sie leider enttäuschen.«

»In meinem Beruf bin ich Kummer gewöhnt. Ich erlebe häufig Enttäuschungen.«

Draußen hupte es, und bei dem Signal legte Richard Ekke den Kopf schief. In Marcus' Ohren klang die Hupe wie eine von vielen, aber Ekke schien der Klang vertraut zu sein.

»Das ist meine Braut«, erklärte er. »Sie holt mich ab. Wir essen gemeinsam zu Abend. Vielleicht kennen Sie sie. Ihr Vater ist in unserem Staat eine bekannte Persönlichkeit. Er ist Mitglied des Aufsichtsratskomitees unserer Universität: Es ist Leonard Man-ning.«

Marcus war sehr beeindruckt. Mitglied des Aufsichtsrats zu sein, wäre noch nicht so umwerfend gewesen, aber Manning besaß etliche Millionen und war ein Freund des Gouverneurs. Das mußte einen schlichten Polizisten schon beeindrucken. Verbittert nahm Marcus an, daß Richard Ekke sich der Wirkung des Namens wohl bewußt gewesen war, als er ihn fallen ließ. Natürlich konnte man ihm keinen Vorwurf daraus machen, daß er sich in seinem Glück sonnte. Eine Manning-Tochter stellte für einen zukünftigen Pro-fessor eine ausgezeichnete Partie dar und sicherte ihm außerdem eine gigantische Gehaltserhöhung. Ein Glückspilz. Jawohl, ein wahrer Glückspilz. Wenn alles klappte, würde er es niemals nötig haben, dreißig Jahre lang für seine Pension zu arbeiten.

»Ich habe von ihm gehört«, sagte Marcus. »Falls Sie gehen wol-len, begleite ich Sie.«

»Es tut mir wirklich leid, daß ich mich beeilen muß. Und auch, daß ich nicht mehr für Sie tun konnte. Ich werde aber nachdenken.

Vielleicht fällt mir doch noch irgendeine Bemerkung Abbys ein, die für Sie wichtig sein könnte.«

»Vielen Dank. Das wäre sehr freundlich von Ihnen.«

Sie gingen gemeinsam hinunter. Marcus lenkte seine Schritte zu seinem eigenen Wagen. In dem schnittigen Fahrzeug, das auf Richard Ekke wartete, brannte die Innenbeleuchtung und Marcus sah die kleine Manning hinter dem Lenkrad. Sie kramte in ihrer Handtasche. Ihr Aussehen erfüllte ihn mit Schadenfreude. Möglich, daß sie den kleinen Arm bis zum Ellbogen in der unerschöpflichen Brieftasche ihres alten Herrn stecken hat, dachte er, aber falls sie für eine Fahrkarte mit ihrer Schönheit bezahlen müßte, käme sie nicht weit. Er empfand es als schwachen Trost, daß selbst ein Mensch, der so viel besitzt, noch lange nicht alles hat.

Mit diesem versöhnlichen Gedanken steuerte Marcus seinen Wagen stadteinwärts zur Zentrale. Er schrieb ein paar Gedächtnisnotizen und verfaßte einen Bericht. Dann ging er essen. Nach dem Essen war er dienstfrei. Er kehrte in eine Vertrauen erweckende Bar ein, trank dort drei Gläser Bier und sah sich im Fernsehen ›Kriminalinspektor Burke‹ an. Er mochte diese Serie gern, weil in diesen Filmen jedes Problem so herrlich einfach war. Sein Neid hatte eine wohlwollende Note, die zu der Bar und seinem Bier paßte. Nachdem Burke seinen Fall gelöst hatte, nahm Marcus seinen eigenen, noch ungelösten Fall mit nach Hause und ging damit zu Bett.

Am nächsten Morgen hielten ihn verschiedene Arbeiten zwei Stunden lang am Schreibtisch der Zentrale fest. In der anschließenden halben Stunde erstattete er seinem Chef Bericht. Auf dem Rückweg zu seinem Schreibtisch und seinem Hut, mit dem er das Büro verlassen wollte, hielt der Gerichtsarzt ihn auf. Er war ein dürres, kleines Männchen mit dem griesgrämigen Ausdruck eines Menschen, der entweder unter einer chronischen Krankheit, unter Zynismus oder unter Blähungen leidet. Er sah so schwach aus, daß man meinte, jeder scharfe Luftzug könnte ihn fortwehen, aber in Wirklichkeit war er zäh wie Draht. Er hatte sich in Marcus' Besucherstuhl niedergelassen.

»Im allgemeinen schreibe ich so etwas in meinen Bericht«, sagte er, »aber diesmal wollte ich mich nicht um den Genuß bringen, es Ihnen persönlich zu sagen.«

»Legen Sie sich keinen Zwang an«, sagte Marcus. »Was wollen Sie mir denn sagen?«

»Die oberflächliche Untersuchung des ermordeten Mädchens hat ergeben, daß es sich in jenem allgemein bekannten Zustand befand, der häufig ein Problem, aber selten tödlich ist.«

»Oh!« Marcus ließ sich auf seinen Stuhl fallen und lehnte sich zurück. »Wissen Sie das bestimmt?«

»Ganz sicher. Es handelt sich um eine eindeutige Schwangerschaft.«

»Verstehe, Doc. Im wievielten Monat?«

»Etwa im dritten.«

»Sonderbar. Höchst sonderbar.« Marcus schloß die Augen, um ein wenig zu verschnaufen. »Ich habe mir in Gedanken ein Bild von ihr gemacht. Eigentlich dachte ich, sie wäre zu kaltschnäuzig und zu gerissen gewesen für eine solche Panne.«

»Dann werfen Sie das Bild weg und beginnen von vorn.«

»Vielleicht, vielleicht auch nicht. Vielleicht gibt es etwas Wichtiges, das ich übersehen habe.«

»Und das wäre?«

»Ich weiß nicht. Vielleicht hatte sie bewußt auf eine Schwangerschaft hingearbeitet.«

»Das ist eine reine Vermutung. Mit euch phantasiereichen Bullen ist es immer das gleiche. Jemand gibt euch eine wissenschaftliche Tatsache und ihr verwendet sie als Ausgangspunkt für ein Märchen. Sollten Sie aber recht haben, dann hat sie ihre Rechnung nicht sehr klug angestellt. Ich würde eher sagen, sie hat sich damit das eigene Grab geschaufelt.«

»Jetzt geraten aber Sie ins Fabulieren. Woher wissen Sie, daß der Mord damit zusammenhängt?«

»Tun Sie doch nicht so, Marcus. Solange wir nichts Besseres haben, ist das immerhin ein mögliches Motiv.«

»Das ist gar nicht so dumm. Bestimmt sind Sie auf die Wahrheit gestoßen.« Marcus stand plötzlich auf und griff nach seinem Hut. »Ich muß laufen, Doc. Vielen Dank für Ihre hervorragende Diagnose. Das hätte ich Ihnen gar nicht zugetraut.«

Er flüchtete auf den Korridor, um sich die beleidigende Antwort des alten Arztes zu ersparen. Zwanzig Minuten später stieg er die Stufen zur Universitätsbibliothek hoch. Hinter dem Bücherausgabetisch saß Lonnie Carrol. Er begrüßte Marcus höflich, aber nicht eben entzückt.

»Guten Morgen, Leutnant«, sagte er trocken. »Suchen Sie jemanden?«

»Ich hoffte, Miß Hayes anzutreffen. Ich möchte etwas mit ihr besprechen.«

»Lena ist beim Unterricht.« Lonnie blickte auf seine Armbanduhr. »Sie wird in sechs Minuten fertig sein.«

»Wo findet der Unterricht statt?«

»Grover Hall. Das ist das Steinhaus gleich um die Ecke. Aber vielleicht kann ich Ihnen sagen, was Sie wissen wollen.«

»Das glaube ich nicht. Aber von Ihnen möchte ich etwas anderes wissen. Sie haben mir gestern nachmittag gesagt, Abby Randal sei ehrgeizig und schlau gewesen. Schön, das mag gestimmt haben. Aber weshalb haben Sie mir verschwiegen, daß sie auch sehr großherzig sein konnte?«

»Ich weiß nicht, was Sie meinen. Worin soll ihre Großherzigkeit bestanden haben? Ich sagte Ihnen doch, daß sie knapp bei Kasse war. Sie besaß nicht genug, um etwas verschenken zu können.«

»Jedes Mädchen hat etwas zu verschenken. Wie mein Freund Fuller sagen würde, muß man sich dazu nicht jedesmal verlieben. Man betreibt bloß, was man so Liebe nennt.«

Lonnie Carrols hageres Gesicht sah verfallen aus. Seine Unterlippe bebte, und er biß darauf herum. Marcus betrachtete ihn mit gelassener Neugier. Sein Interesse war rein beruflich.

»Das glaube ich nicht«, sagte Lonnie schließlich. »Abby war nicht so.«

»Nein? Na, vielleicht nicht. Vielleicht hat sie eine neue Art entdeckt, um schwanger zu werden. Mißverstehen Sie mich nicht; natürlich achte ich Ihr Bestreben, den Ruf des Mädchens zu wahren. Zufällig habe ich gestern bemerkt, daß Miß Hayes einen Brillantring trägt. Ich hatte das Gefühl, Sie könnten ihn ihr angesteckt haben.«

»Na schön, ich war es.«

»Herzlichen Glückwunsch. Hoffen wir, daß sie ihn auch weiterhin am Finger läßt.«

Marcus wandte sich ab, ging die Treppe nach unten, verließ das Haus und ging quer um die Ecke zur Grover Hall. Dort stand neben dem Weg eine steinerne Bank, auf der er Platz nahm. Die Sonne wärmte nicht mehr. Er zündete sich eine Zigarette an und wartete. Da es kühl war, schlug er seinen Mantelkragen hoch. Das Universitätsgelände war im Augenblick beinahe menschenleer, weil die Studenten auf die fünfhundert verschiedenen Hörsäle verstreut waren. In der kurzen Pause strömte alles ins Freie. Marcus suchte nach Lena Hayes, aber im Grunde mußte er sich eingestehen, daß es beinahe ein Wunder wäre, sie in diesem Schwarm zu entdecken, der sich rasch in alle Richtungen verlor. Das Glück war ihm jedoch hold. Sie kam rasch den Weg entlang, als hätte sie keine Zeit zu vertrödeln. Er wartete, bis sie vor ihm stand; dann erhob er sich und tippte gegen seine Hutkrempe.

»Hallo, Miß Hayes«, sagte er.

»Oh, Leutnant Marcus.« Sie blieb vor ihm stehen, brannte aber sichtlich darauf, weitergehen zu dürfen. »Bedaure, aber ich habe im Augenblick keine Zeit. Die nächste Unterrichtsstunde beginnt gleich.«

»Das macht nichts. Wenn Sie gestatten, begleite ich Sie hin.«

»Kann das, was Sie von mir wollen, nicht warten? In einer Stunde bin ich frei.«

»Ich werde mich bemühen, nicht an Ihrer Verspätung schuld zu sein. Darf ich Ihre Bücher tragen?«

»Nein, danke.«

Sie setzte ihren Weg fort, und Marcus ging im Gleichschritt neben ihr. Sehnsüchtig wünschte er, sie würde ihn ihre Bücher tragen lassen. Es war eine Ewigkeit her, daß er einem derart hübschen Mädchen diesen Dienst erwiesen hatte.

»Sie sagten mir gestern«, begann er, »daß Sie die Lichter im Archiv abdrehten und dabei Abby Randals Leiche entdeckten. Wo befinden sich die Lichtschalter? Ich meine, an welchem Ende der Bücherregale?«

»An beiden Enden . . .«

»Welchen Schalter haben Sie bedient?«

»Natürlich den neben den Treppen. Warum sollte ich durch die Reihen hin- und herlaufen, nachdem ich doch gleich ins nächste Stockwerk gehen wollte?«

»Aber genau das haben Sie doch getan, Miß Hayes. Zumindest einmal. Sonst hätten Sie die tote Abby Randal gar nicht auf dem Boden der kleinen Leseecke entdecken können. Habe ich recht?«

»Ja. Ich hatte einen guten Grund, ans andere Ende zu gehen. Als ich zu dem Gang kam, der zu dem Raum führt, wo Abby Randal lag, sah ich zufällig auf dem Boden ein Buch liegen. Ich machte also Licht, um das Buch in das Regal zurückzustellen, in das es gehörte. Dabei habe ich entdeckt, daß den ganzen Gang entlang mehrere Bücher auf dem Boden lagen. Es sah aus, als hätte sie jemand boshafterweise aus den Regalen gerissen, um mir unnötige Arbeit zu machen. Jedenfalls ging ich den Gang entlang und stellte die Bücher an ihren Platz zurück. Dadurch kam ich ans andere Ende, wo ich die Leiche entdeckte.«

»Eines noch, Miß Hayes: Von welchem Regal stammten die Bücher?«

»Vom untersten, direkt über dem Boden.«

»Alle?«

»Ja.«

»Fanden Sie das nicht merkwürdig?«

»Absolut nicht. Ich hielt es nur für eine Gemeinheit. Bücher ins unterste Fach zurückzustellen, ist nämlich besonders anstrengend. Man muß sich ganz tief bücken. Gibt man nicht acht, kann man sich auch noch seine Strümpfe dabei kaputtmachen.«

»Sie müssen ziemlich verärgert gewesen sein.«

»Ehrlich gesagt, war ich ziemlich wütend. Dann habe ich die Tote entdeckt und da dachte ich natürlich nicht mehr daran.«

»Das ist begreiflich. Müssen Sie in dieses Haus?«

»Ja. Ich muß mich beeilen, sonst komme ich zu spät. War das alles, was Sie mich fragen wollten?«

»Ja.«

»Ich kann mir zwar nicht vorstellen, daß Ihnen damit geholfen ist, aber bitte.«

»Es hat mir sogar sehr geholfen. Vielen Dank, Miß Hayes.«

Er sah ihr nach, wie sie ins Haus eilte, wandte sich dann seufzend um und kehrte zu seinem Auto zurück. Eine Zeitlang saß er unbeweglich hinter dem Lenkrad. Er hatte so gar kein Verlangen, das zu tun, was er jetzt tun mußte und beschloß, zur Zentrale zurückzufahren und Fuller diese Aufgabe zuzuschieben. Der würde sich vermutlich nicht dagegen sträuben, weil er dadurch Gelegenheit erhielt, sich für ein Weilchen in den Vordergrund zu spielen. Inzwischen könnte Marcus sich auf den unerfreulichsten Teil seines Berufs vorbereiten, nämlich die Anklage. Er kehrte also in die Zentrale zurück und hinterließ für Fuller die Nachricht, daß er ihn unverzüglich aufsuchen möge. Doch es verstrich beinahe eine volle Stunde, ehe Fuller sich bei ihm meldete.

»Falls Sie erfahren möchten, ob wir die Waffe gefunden haben oder nicht«, begann Fuller, »so lautet die Antwort: Wir haben sie nicht gefunden.«

»Darüber würde ich mir keine grauen Haare wachsen lassen. Wahrscheinlich handelt es sich um ein Stück Bleirohr oder sonst irgendeinen Gegenstand, den man in einer Aktentasche oder unter einem Mantel versteckt tragen kann. Nein, ich möchte etwas anderes von Ihnen wissen: Würden Sie mir einen Gefallen tun?«

»Ich tue alles, was zu meinem Dienst gehört«, antwortete Fuller vorsichtig.

»Ihren Dienst erfüllen Sie immer bestens.«

»Danke. Um welchen Gefallen handelt es sich?«

»Laufen Sie 'rüber zur Universität und holen Sie den Mörder Abby Randals. Es eilt aber nicht. Wann Sie eben Zeit haben.«

Fullers Gesicht versteinerte sich. Behutsam und umständlich setzte er sich auf den leeren Stuhl und legte seine breiten Hände auf die Knie. Er starrte die Wand hinter Marcus an und sagte mit zusammengebissenen Zähnen: »Laufen Sie 'rüber, Fuller, und bringen Sie uns den Mörder Abby Randals. Wann Sie eben Zeit haben, Fuller.« Er schaute auf seine Hände, drehte die Handflächen nach oben und spielte nervös mit den Fingern. »Vielleicht hätten Sie die Güte, mir zu verraten, woher Sie so plötzlich wissen, wer der Mörder ist?«

»Ganz einfach, Fuller. Ich weiß es, weil Abby Randal es mir gesagt hat.«

»Ach, das erklärt natürlich alles. Sie haben Rücksprache mit einer Toten gehalten. Ich hatte leider noch nie das Vergnügen, mich mit einem Geist unterhalten zu dürfen. Woher kommt es, daß immer nur Sie derart aufregende Dinge erleben?«

»Es war kein Geist, Fuller. Sie sagte es mir, ehe sie starb.«

»Ich hatte den Eindruck, daß Sie sie, als sie noch lebte, nicht kannten.«

»Stimmt Fuller, aber sie hat eine Mitteilung hinterlassen.«

»Ich bin wahrscheinlich nur ein engstirniger Sergeant. Ich kann nicht sehr gut lesen. Vermutlich hätte ich die Mitteilung gar nicht begriffen, falls sie mit Blut oder in den Staub geschrieben wurde, obwohl nirgends weder ein Blutfleck noch Staub zu sehen war.«

»Sie hat eine spezielle Nachricht hinterlassen, in Form von Büchern. Wir sind von Anfang an von der Vermutung ausgegangen, daß sie in dem kleinen Raum, in dem man sie fand, auch ermordet wurde. Aber das stimmt nicht. Sie ist nur dort gestorben. Mir kam es vom ersten Augenblick an verdächtig vor, daß der Stuhl so säuberlich unter den Tisch geschoben war. Sie werden sich daran erinnern. Sie hatte sich offenbar nicht lange genug in dem Raum aufgehalten; was allerdings nicht die Möglichkeit ausschloß, daß sie bei ihrem Eintritt überfallen worden sein konnte. Darauf deutete speziell die Lage der Toten hin. Ich habe jedoch heute vormittag erfahren, daß Abby Randal am anderen Ende des Ganges überfallen wurde. Der Mörder hätte noch ein paarmal mehr zuschlagen müssen, um sicherzugehen, daß sie tot ist. Aber er hatte natürlich Angst, länger zu verweilen, und ist fortgerannt. Damit hat er einen Fehler begangen. Abby Randal starb nämlich nicht sofort. Sie war zäh. Sie war schlau. Selbst noch im Sterben, unter Schmerzen und voller Angst fand sie eine Möglichkeit, uns den Namen ihres Mörders zu verraten. Sie schleppte sich den Gang entlang, bis ans andere Ende, und riß dabei Bücher aus dem untersten Regal. Auf diese Weise zeigte sie ihren Weg an. Ihr Ziel war der kleine Raum. Als sie dort angelangt war, konnte sie sterben. Warum wohl, Fuller?«

»Vermutlich«, sagte Fuller spöttisch und gleichzeitig ziemlich ratlos, »wollte sie beim Sterben ungestört sein.«

»Nein. Sie ist dorthin gekrochen, weil es für sie die einzige Art war, uns den Namen ihres Mörders zu nennen. Wissen Sie, wie diese kleinen Studierzimmer genannt werden, Fuller? Ecken. Und an der Universität gibt es einen Burschen mit dem Namen Richard Ekke. Er hat Abby Randal im Sommer Französischunterricht erteilt. Er hatte einen steinreichen zukünftigen Schwiegerpapa zu verlieren, wenn die falsche Mutter ihn frühzeitig zum Vater machte. Er nannte seine Zusammenkünfte mit Abby zwanglos. Das sind sie sicher gewesen. Und ich wette mit Ihnen, Fuller, daß die letzte Zusammenkunft gestern nachmittag im Büchersaal der Bibliothek stattgefunden hat.«

»Das ist Ihr ganzer Beweis? Vielleicht ist was dran, aber damit werden Sie kaum durchkommen.«

»Richtig. Dieser Beweis würde nicht ausreichen, daß der Staatsanwalt Anklage erhebt. Aber wir werden etwas anderes finden. Es ist nicht schwer, einen Indizienbeweis zu finden, wenn man weiß, wo man ihn suchen muß. Außerdem werden wir ihn wohl kaum brauchen. Ich habe gestern abend mit Ekke gesprochen. Ich kenne diesen Typ. Unter Druck zerbricht der wie ein rohes Ei. Aber wie, zum Teufel, soll ich zu einem Geständnis kommen, wenn Sie ihn mir nicht herholen?«

Fuller stand auf. Er schüttelte den Kopf, als wollte er die Betäubung vertreiben.

»Wenn Sie Ihre Behauptung untermauern können — dann Hut ab«, sagte er. »Und meine Anerkennung.«

»Ich bilde mir nichts darauf ein«, sagte Marcus. »Die eigentliche Arbeit hat Abby Randal geleistet. Ich bin nur zufällig da und nehme die Lorbeeren für mich in Anspruch.«

Gefährliche Träume

Es gibt einen uralten Witz, der mit den Worten beginnt: »Zwei Schiffbrüchige sitzen auf einer Insel. Einer der beiden sagt . . .«

Die Situation kann sehr lustig sein, weil die beiden eben zu zweit sind. Aber was tut ein einzelner Mensch auf einer menschenleeren Insel?

Jim Kilbride befand sich allein auf einer solchen Insel. Diese Insel gehörte zu drei anderen, die verlassen in der Mitte des Pazifiks, südlich der befahrenen Seestraßen lagen. Die Insel, auf der Jim Kilbride hauste, war die größte der vier: eine Meile breit und anderthalb Meilen lang. Sie bestand hauptsächlich aus Sand, den das Meer bei Flut überschwemmte. Etwa in der Mitte der Insel erhoben sich zwei Hügel, auf denen verkümmerte Bäume und dunkelgrüne Sträucher wuchsen. An der Ostseite der Insel machte der Strand einen kleinen Bogen. Dadurch entstand eine winzige, natürliche Bucht, die zur Hälfte vom Meer und zur Hälfte vom Sand begrenzt wurde. Ein paar Vögel kreisten über den Inseln und riefen einander mit krächzenden Stimmen Botschaften zu. Das Geschrei der Vögel und das Plätschern der Brandung waren die einzigen Laute, die Kilbride vernahm.

Jim Kilbride war durch eine Reihe sonderbarer Ereignisse auf diese ausgestorbene Insel gelangt. Früher war er einmal Buchhalter gewesen und hatte ein enges, geregeltes, seßhaftes Leben geführt. Er hatte für eine kleine Textilfirma in San Francisco gearbeitet.

Jim Kilbride war klein, nicht mal einen Meter und siebzig groß. Obwohl er erst achtundzwanzig war, zeigten sich bereits damals die Ansätze eines Bäuchleins. Sein Haar war glatt, schwarz, kraftlos und dünn gewesen. Seine runden Augen hatten durch noch rundere Gläser einer Stahlbrille geglotzt. Sie war ihm ständig über die Nase gerutscht. Die Krawatte hatte wie das ausgefranste Ende eines Stricks um seinen Hals gebaumelt, und die Anzüge, die er getragen hatte, sahen nur auf den großen, schlanken und selbstgefälligen Schaufensterpuppen der Herrenmodegeschäfte gut aus.

Damals hieß er noch James Kilbride. Er war nicht glücklich gewesen. Er konnte es nicht sein, weil er eine Type war, und er wußte das. Er hatte bei seiner Mutter gewohnt, war niemals mit

Frauen ausgegangen und hatte selten etwas Alkoholisches getrunken. Wenn er die freudlosen Geschichten der realistischen modernen Dichter über sanfte, unauffällige Buchhalter gelesen hatte, die bei ihren Müttern wohnten und niemals Frauen besaßen, so war er beschämt und unglücklich gewesen, weil er wußte, daß er damit gemeint war.

Eines Tages war seine Mutter gestorben. Es hätte ein Wendepunkt im Leben James Kilbrides sein müssen. Aber vorläufig hatte sich gar nichts verändert. Das Büro war geblieben, der Autobus durch dieselben Straßen wie immer gefahren. Das Haus war ihm größer und dunkler erschienen, vor allem stiller. Aber sonst war, wie gesagt, alles beim alten geblieben.

Nun hatte ihm seine Mutter ziemlich viel hinterlassen, denn sie war sehr hoch versichert gewesen. Mit einem Teil dieses Geldes hatte er sich ein Segelschiff gekauft. Irgend jemand hatte ihm dazu die Anregung gegeben. Sonntags war er von da ab immer ein kleines Stückchen aufs Meer hinausgesegelt. Allein. Es hatte sich also noch immer nicht viel verändert. Im Büro hatten nach wie vor die Neonröhren gebrannt, der Autobus war die alte Strecke gefahren und er war immer noch James Kilbride geblieben, der nachts im Bett von Frauen träumte und einem anderen, bunteren, glücklicheren Leben.

Das Boot war etwa sechsunddreißig Meter lang gewesen und hatte eine winzige Kabine gehabt. Es war weiß gestrichen und auf den Namen Doreen getauft — den Namen einer Frau, die ihm das Schicksal schuldig geblieben war. An einem strahlend schönen Sonntag — das Meer funkelte und der Himmel war blitzblau — hatte er von seinem Boot aus aufs Meer gestarrt und daran gedacht, nach China zu fahren.

Die Idee hatte sich in ihm festgesetzt. Allerdings hatte es noch Monate des Nachdenkens, des Studiums und der Vorbereitung bedurft, ehe er endgültig gewußt hatte, daß er nach China fahren würde. Jawohl, nach China. Er wollte ein Tagebuch führen und es später veröffentlichen. Dadurch, so hatte er gehofft, würde er berühmt werden — und Doreen kennenlernen.

Er hatte sein Boot mit Lebensmittelkonserven und Wasser beladen und sich von seiner Firma unbezahlten Urlaub genommen. Irgendwie hatte er nicht den Mut gehabt, seine Stelle zu kündigen, obwohl er gespürt hatte, daß er zu diesem Posten niemals wieder zurückkehren würde. Eines Tages schließlich war er abgefahren.

Doch schon die Küstenwache hatte ihn angehalten und wieder zurückgebracht. Sie hatte ihm eine ganze Reihe von Bestimmungen und Vorschriften erklärt, von denen er keine einzige begriffen hatte. Bei seinem zweiten Versuch hatten sie ihn nicht mehr ganz so nachsichtig behandelt und ihm damit gedroht, daß er bei einem weiteren Versuch mit einer Gefängnisstrafe zu rechnen hätte.

Daraufhin war er das drittemal nachts aufgebrochen und es war ihm gelungen, an der Küstenwache unbemerkt vorbeizukommen. Er hatte sich ausgemalt, er sei ein Spion, eine finstere, furchtgebietende Erscheinung, die unerschrocken in dunkler Nacht aus dem Feindesland flieht.

Schon am dritten Tag hatte er die Orientierung verloren. Er hatte nicht die leiseste Ahnung gehabt, wo er sich befand, oder wohin er fuhr. Er war im Boot hin und her gelaufen. Die Segelmütze hatte ihn etwas vor den brennenden Strahlen der Sonne geschützt.

Schiffe waren schwarzen Silhouetten gleich am Horizont aufgetaucht. Und hin und wieder hatte er in weiter Ferne irgendeine Insel entdeckt. Außer dem leisen Geplätscher der kleinen Wellen, die an sein Boot klatschten, war es ganz still um ihn gewesen.

Am achten Tag seiner Reise war ein Sturm ausgebrochen. Diesen ersten Sturm hatte er noch recht gut überstanden. Stundenlang hatte er Wasser aus dem Boot geschöpft, aber nach vierundzwanzig Stunden pausenlosen Schlafes war er wieder frisch und munter gewesen.

Doch drei Tage später war erneut ein Sturm aufgekommen. Wasser und Luft waren zu einem einzigen brodelnden Kessel geworden. Schäumende schwarze Sturzwellen hatten das Boot schließlich zum Kentern gebracht. Das Boot war unter ihm fortgeschwemmt worden. Verzweifelt hatte er mit den Armen und Beinen gestrampelt und versucht, sich gegen die Macht der aufgepeitschten Elemente zu wehren.

Am Abend hatte er jene Insel erreicht. Die Wellen hatten ihn in die halbmondförmige Bucht getrieben. Er war auf den Sandstrand gekrochen und eingeschlafen.

Als er erwacht war, hatte die Sonne schon hoch am Himmel gestanden. Im Nacken hatte er einen schmerzhaften Sonnenbrand verspürt. Er hatte seine Segelmütze und beide Schuhe verloren. Mühsam hatte er sich aufgerappelt und war inseleinwärts gewandert, zu den zerzausten Bäumen, fort von der sengenden Sonne.

Er lebte. Er ernährte sich von Beeren, Wurzeln und eßbaren Pflanzen. Er lernte, sich an die Vögel heranzuschleichen, wenn sie auf den Zweigen saßen und sich das Gefieder putzten, und er holte sie mit Steinwürfen herunter. Er hatte sogar ein bißchen Glück. Denn er fand in einer Tasche wasserfeste Streichhölzer, die er eingesteckt hatte, ehe der Sturm ihn überfiel. Aus Astteilen und Rinden baute er sich einen bescheidenen Unterschlupf. Er grub eine seichte Mulde in den Boden und entfachte ein Feuer, das er Tag und Nacht brennen ließ. Er besaß nur acht Streichhölzer.

In den ersten Tagen und Wochen fand er immer etwas zu tun. Stundenlang starrte er aufs Meer und wartete hoffnungsvoll auf Rettung. Außerdem erkundete er die Insel, bis er jeden Meter Strand, jeden Grashalm und jeden Ast kannte.

Aber keine Retter erschienen. Die Insel kannte er nun schon genausogut wie früher einmal die Fahrtroute seines Autobusses. Er begann, Bilder in den Sand zu zeichnen, Männer und Frauen im Profil, und Vögel, die kreischend über seinen Kopf flogen. Er spielte Auszählspiele mit sich selbst, die er nie gewann. Und obgleich er weder Papier noch Bleistift hatte, begann er sein Buch, das Buch der Abenteuer, das Buch, mit dem er über das Dasein eines unbedeutenden Angestellten hinauswachsen würde, das er bisher geführt hatte. Er ging sorgfältig zu Werke. Er prägte sich jeden Satz ins Gedächtnis ein, feilte jedes Wort zurecht, arbeitete jeden Absatz aus. Endlich hatte er das erlangt, was er so lange gesucht hatte: Freiheit, Individualismus und Persönlichkeit. Er schlenderte über die Insel und sagte sich die vollendeten Teile laut vor.

Aber auf die Dauer genügte ihm das nicht, und er begann sich zu langweilen. Monate waren verstrichen, und er hatte weder ein Schiff noch ein Flugzeug, geschweige ein menschliches Gesicht gesehen. So blieb ihm nur ein einziger Ausweg, um sein neues Leben erträglich zu machen: Er mußte verrückt werden.

Er wurde es ganz langsam und allmählich. Zuerst einmal erfand er einen Zuhörer. Er entwarf ihn nicht näher und verlieh ihm weder Alter noch Geschlecht; es war bloß ein Zuhörer. Während er umherging und sich seine Sätze laut vorsagte, redete er sich ein, daß jemand zu seiner Rechten ginge, der ihm zuhörte, lächelte, nickte, seinem ausgezeichneten Entwurf Beifall zollte und von Jim Kilbride — wie er sich jetzt nannte — entzückt war.

Das ging so weit, daß er schließlich allen Ernstes an die Existenz seines Zuhörers glaubte. Manchmal blieb er plötzlich stehen und wandte sich nach rechts, um einen Absatz zu erklären, der vielleicht nicht ganz verständlich war; dann war er für den Bruchteil einer Sekunde lang verblüfft, daß niemand neben ihm ging. Er lachte über seine Verschrobenheit, nahm seine Wanderung und seine Deklamationen aber wieder auf.

Allmählich nahm der Zuhörer Gestalt an. Erst war er nur eine Frau, dann eine junge Frau, die allem, was er sagte, aufmerksam und beifällig lauschte. Auch wenn sie noch keine festen Umrisse hatte, keine bestimmte Haarfarbe, kein Gesicht, keine Stimme, so gab er ihr doch schon einen Namen: Doreen. Doreen Palmer; sie war die Frau, die er niemals kennengelernt hatte und nach der er sich ständig gesehnt hatte.

Nun vervollkommnete sie sich immer rascher. Er sah sie mit honigfarbenem, ziemlich langem Haar, das anmutig um ihren Kopf flatterte, wenn der Wind vom Meer über die Insel wehte. Er sah ihre blauen Augen. Es waren runde, intelligente Augen, die tiefer waren als ein Brunnen, ja selbst tiefer als der Ozean. Sie war ungefähr zehn Zentimeter kleiner als er und hatte eine sehr weibliche, aber nicht übermäßig sinnliche Figur. Sie war mit einem weißen Kleid und grünen Sandalen bekleidet. Er wußte, daß sie ihn liebte, weil er tapfer und stark und interessant war.

Trotzdem war er noch nicht total verrückt. Nicht bis zu jenem Tag, an dem er zum erstenmal ihre Stimme vernahm. Sie hatte eine melodische Stimme, klar, weich und zärtlich.

Er hatte gesagt: »Ein alleinstehender Mann ist nur ein halber Mann.«

Und sie hatte geantwortet: »Du bist nicht allein.«

In der ersten Blüte seines Wahnsinns war er übermütig und das Leben schien ihm köstlich. Immer wieder trug er ihr die fertigen Kapitel seines Buches vor. Manchmal fiel sie ihm ins Wort, um ihm zu versichern, wie großartig sein Werk sei. Sie hob dann den Kopf und küßte ihn und ihr honigfarbenes Haar fiel über ihre Schultern. Oder sie drückte zärtlich seine Hand und beteuerte, daß sie ihn liebe. Nie sprachen sie über das Leben, das er vor seiner Ankunft auf der Insel geführt hatte, von dem grell beleuchteten Büro und den linierten steifen Haupt- und Kassenbüchern.

Sie gingen gemeinsam spazieren und er zeigte ihr die Insel, jedes Sandkorn, jeden Ast, jeden Baum, jeden Strauch und jeden Vogel. Er zeigte ihr, wie er die Vögel erlegte und wie er es anstellte, daß das Feuer nie erlosch. Denn er besaß ja nur acht Streichhölzer. Und wenn einer der seltenen Stürme ausbrach und wild tobend über die Insel fegte, dann drängte sie sich in seiner Hütte, die er erbaut hatte, dicht an ihn. Ihr Haar lag dann weich an seiner Wange, ihr Atem blies ihm warm in den Nacken und sie hielten sich fest umschlungen, starrten ins glimmende Feuer und beteten inbrünstig, daß es nicht ausgehen möge. Zweimal war es erloschen und er mußte kostbare Streichhölzer opfern, um es wieder zu entfachen. Doch da trösteten sie einander und versprachen sich, daß sie das nächstemal das Feuer besser behüten würden.

Eines Tages, als er mit ihr sprach und ihr das letzte Kapitel seines Buches vortrug, sagte sie zu ihm: »Du hast schon lange nichts Neues mehr geschrieben, seit ich zu dir gekommen bin.«

Er hielt inne. Sein Gedankenfluß war unterbrochen. Er mußte zugeben, daß sie die Wahrheit sprach. Und er erwiderte: »Ich will noch heute mit dem nächsten Kapitel beginnen.«

»Ich liebe dich«, antwortete sie.

Aber irgendwie wollte ihm der Anfang des nächsten Kapitels nicht einfallen. Im Grunde wollte er gar kein neues Kapitel schreiben. Er wollte ihr nur die bereits fertiggestellten Teile immer wieder aufsagen. Doch sie bestand darauf, daß er weiterschreiben müßte, und zum erstenmal, seit sie sich zu ihm gesellt hatte, ließ er sie allein. Er ging fort, ans andere Ende der Insel. Dort saß er und starrte aufs Meer hinaus.

Nach einer Weile kam sie ihm nach und bat ihn um Verzeihung. Sie flehte ihn an, noch einmal die früheren Kapitel seines Buches vorzutragen und schließlich nahm er sie in die Arme und verzieh ihr.

Aber sie gab nicht auf und drängte ihn laufend zum Weiterschreiben, jedesmal vorwurfsvoller, bis er sie eines Tages anherrschte: »Nörgle nicht ständig an mir herum!«

Da brach sie in Tränen aus.

Sie begannen, einander auf die Nerven zu fallen. Langsam erkannte er, daß Doreen sich allmählich immer mehr wie seine Mutter benahm, die einzige Frau, die er jemals wirklich gekannt hatte. Sie war herrschsüchtig, wie seine Mutter es gewesen war, sie ließ ihn nie auch nur eine Minute allein, sie gestattete ihm nie, allein spazieren zu gehen, damit er in Frieden nachdenken konnte. Und sie stellte Forderungen, genau wie seine Mutter. Sie bestand darauf, er müßte ehrgeizig sein und die Arbeit an seinem Buch

wieder aufnehmen. Fast glaubte er, sie hätte ihn lieber als Angestellten gesehen, der er früher gewesen war.

Sie stritten oft heftig. Eines Tages gab er ihr eine Ohrfeige. Das
hätte er bei seiner Mutter nie gewagt. Sie war entsetzt und weinte.
Er entschuldigte sich bei ihr, küßte ihre Hände und ihre Wange,
wo der rote Abdruck seiner Hand sich wie Feuer von ihrer Haut
abhob, fuhr ihr mit den Fingern durchs seidige Haar, bis sie ihm
zuwisperte, daß sie ihm verzeihe.

Aber es wurde nie mehr so wie früher. Von Tag zu Tag wurde
sie zänkischer, anspruchsvoller und ähnelte seiner Mutter immer
stärker. Ja, sogar äußerlich hatte sie die Züge seiner Mutter angenommen. Sie war eine verjüngte Ausgabe seiner Mutter. Besonders ihre Augen hatten sich verändert. Sie waren nicht mehr so
blau und härter geworden; ihre Stimme klang jetzt höher, oft
kreischend.

Er wurde immer nachdenklicher. Er verschloß sich vor ihr und
behielt seine Gedanken für sich. Manchmal sprach er stundenlang
kein Wort mit ihr. Und wenn sie ihn beim Nachdenken störte,
entweder, um zärtlich seine Hand zu berühren, wie sie es früher
getan hatte, oder, was eigentlich häufiger geschah, um sich bitter
darüber zu beklagen, daß er nicht an seinem Buch arbeite, dann
sah er in ihr nichts weiter als einen Eindringling, einen Stören-
fried, eine Fremde. Wütend fuhr er sie dann an, sie solle ihn
gefälligst in Ruhe lassen und abhauen. Er wollte seinen Frieden
haben. Aber sie wich nie von seiner Seite.

Er wußte nicht genau, wann er zum erstenmal daran gedacht
hatte, sie zu ermorden. Doch seitdem der Gedanke geboren war,
ließ er sich nicht mehr verdrängen. Er versuchte, ihn nicht zur
Kenntnis zu nehmen, hielt sich vor, er sei nicht der Typ, der sich
zum Mörder eigne. Schließlich war er ein Buchhalter, ein kleiner,
sanfter und schweigsamer Mann, ruhig und passiv. Aber diese
Charakterisierung stimmte schon längst nicht mehr. Er war ein
Abenteurer geworden, ein Seefahrer, der auf einer Insel im Pazi-
fischen Ozean lebte und von den armen, mitleiderregenden Buch-
haltern in all den grell beleuchteten Büros der Welt beneidet wurde. Er war, auch das wußte er, durchaus fähig, einen Mord zu
begehen.

Tag und Nacht sann er darüber nach, saß vor dem winzigen
Feuerchen, starrte in die Flammen und malte sich Doreens Tod
aus. Und sie, die seine Gedanken nicht kannte und nicht wußte,

in welchen Abgründen sie sich bewegten, hörte nicht auf mit ihren Sticheleien und ermahnte ihn dauernd zur Weiterarbeit an seinem Buch. Oder sie beschimpfte ihn, daß er nicht genügend Rinde und Holz geholt hätte, und drohte ihm, er solle das Feuer ja nicht wieder ausgehen lassen, wie die beiden letzten Male. Er ärgerte sich verständlicherweise wahnsinnig über ihre boshaften und ungerechten Beschuldigungen. Die Stürme hatten das Feuer ausgeblasen, nicht er. Doch sie fand, daß der Sturm das Feuer nicht hätte ausblasen können, wenn er sich genügend darum gekümmert hätte.

Schließlich hielt er es nicht länger mehr aus. In früheren, glücklicheren Tagen waren sie oft gemeinsam schwimmen gegangen, hatten sich aber aus Angst vor Haien und anderen gefährlichen Tieren, die im tieferen Gewässer leben mochten, immer in der Nähe des Strandes aufgehalten. Jetzt waren sie schon lange nicht mehr schwimmen gewesen. Eines Tages nun schlug er harmlos und hinterlistig vor, die frühere Gewohnheit wieder aufzunehmen.

Sie war sofort dazu bereit. Sie zogen sich aus und liefen lachend ins Wasser und spritzten und planschten, als seien sie noch immer verliebt und selig. Er tauchte sie unter, wie er es früher oft getan hatte, und sie kam vergnügt und schnaubend wieder hoch. Dann tauchte er sie ein zweitesmal unter; diesmal hielt er sie unter Wasser fest. Sobald sie seine Absicht durchschaute, wehrte sie sich gegen ihn, aber er fühlte, wie sich die neuen Muskeln in seinen Armen spannten. Er hielt sie mit seinem fürchterlichen Griff solange unter Wasser fest, bis ihr Widerstand erlahmte und schließlich ganz aufhörte.

Dann erst ließ er sie los und sah zu, wie die Wellen ihren toten Körper ins Meer hinaustrugen. Das honigfarbene Haar trieb auf dem Wasser, die blauen Augen waren geschlossen und der zarte Körper schaukelte reglos in den Wellen. Er taumelte erschüttert und ausgepumpt an den Strand zurück und brach zusammen.

Am nächsten Tag fühlte er die ersten Anzeichen von Reue. Ihre Stimme fiel ihm ein und ihr Gesicht und er dachte daran, wie glücklich sie am Anfang gewesen waren. Er dachte über die Einzelheiten ihrer Streitigkeiten nach. Und jetzt sah er deutlich, daß auch er manchmal unrecht gehabt hatte. In der Erinnerung wurde ihm klar, wann er sie ungerecht behandelt, und daß er immer nur an sich selbst gedacht hatte. Sie wollte, daß er sein Buch zu Ende schrieb. Doch nicht für sie. Sie wollte es zu seinem Besten. Er war grob und ungeduldig gewesen. Es war seine Schuld, daß ihre Zwistigkeiten immer erbitterter geworden waren, bis sie einander so abscheulich gefunden hatten.

Er dachte daran, wie glücklich und bereitwillig sie mit ihm schwimmen gegangen war und wußte, daß sie darin ein Zeichen für ihre Versöhnung erblickt hatte.

Als diese Gedanken ihn überfielen, wurde er von heftiger Sehnsucht und Reue erfaßt. Sie war die einzige Frau gewesen, die jemals seine Liebe erwidert und mehr als einen kleinen Mann in ihm gesehen hatte, der sich in einem sterilen Büro über seine Bücher neigte. Und er hatte sie ermordet.

Er flüsterte ihren Namen, aber sie war verschwunden, sie war tot und er hatte sie auf dem Gewissen. Er warf sich der Länge nach in den Sand und weinte.

In den folgenden Wochen fand er sich mit seinem Verlust ab, auch wenn er sie entsetzlich vermißte. Er fühlte, daß eine tiefgreifende, dramatische Veränderung in seinem Leben stattgefunden hatte und er dadurch ein anderer Mensch geworden war. Sein Gewissen quälte ihn wegen seiner Tat, aber es war eine süße Qual.

Fünf Monate später wurde er gerettet. Ein bauchiger grauer Dampfer setzte ein kleines Boot aus, das ihn von der Insel holte. Die Matrosen halfen ihm, als er ungeschickt ins Boot kletterte. Sie brachten ihn zum Dampfer und halfen ihm über die Strickleiter an Bord. Sie verkösteten ihn und wiesen ihm einen Schlafplatz zu. Als er sich erholt hatte, wurde er zum Kapitän geführt.

Der Kapitän, ein kleiner grauer Mann in verwaschenem Anzug, bedeutete ihm, auf dem Stuhl neben seinem Schreibtisch Platz zu nehmen. Er fragte: »Wie lange waren Sie auf der Insel?«

»Ich weiß es nicht.«

»Sind Sie allein gewesen?« erkundigte der Kapitän sich mitfühlend. »Die ganze Zeit?«

»Nein«, antwortete er. »Eine Frau war bei mir. Doreen Palmer.«

Der Kapitän war überrascht. »Wo ist sie?«

»Sie ist tot.« Mit einemmal begann er zu weinen und die ganze Geschichte sprudelte aus ihm hervor. »Wir haben gestritten, wir sind einander auf die Nerven gegangen, und ich habe sie ermordet. Ich habe sie ertränkt, und die Flut hat ihre Leiche fortgeschwemmt.«

Der Kapitän starrte ihn an, ohne zu wissen, was er tun oder sagen sollte. Schließlich entschloß er sich, gar nichts zu unternehmen, sondern den Mann den Behörden zu übergeben, sobald sie in Seattle anlegen würden.

Die Polizei von Seattle hörte sich zuerst den Bericht des Kapitäns an, dann unterhielten sich die Polizsten mit Jim Kilbride. Er gestand den Mord sofort und sagte, daß ihm sein Gewissen seit damals keine Ruhe mehr ließe. Er sprach logisch und vernünftig, beantwortete sämtliche Fragen, erging sich in Einzelheiten über sein Leben auf der Insel und das von ihm begangene Verbrechen. Keiner vermutete, daß er wahnsinnig sein könnte. Eine Stenotypistin tippte sein Geständnis, und er unterschrieb es.

Alte Bürofreunde besuchten ihn im Gefängnis und betrachteten ihn mit ganz neuem Interesse. Sie hatten ihn im Grunde nie wirklich gekannt. Er lächelte und sonnte sich in dem Bewußtsein, sie beeindruckt zu haben.

Man machte ihm einen ordnungsgemäßen Prozeß mit einem vom Gericht beigestellten Verteidiger und sprach ihn des Mordes schuldig. Er benahm sich während des gesamten Verfahrens ruhig und würdevoll. Niemand konnte sich vorstellen, daß er einmal ein unbedeutender, kleiner Angestellter gewesen war. Er wurde zum Tod in der Gaskammer verurteilt, und das Urteil wurde bald danach vollstreckt.

JAMES McKIMMEY, JR.

Quäle nie ein Tier zum Scherz

Erwin — sein Vater nannte ihn niemals so, den Namen hatte seine verstorbene Mutter für ihn ausgesucht — ging langsam querfeldein von dem alten Steinbruch fort. In der Hand trug er Klötze, die er von dem dort liegenden Holzstapel gesägt und noch nicht im Werkzeugschuppen beim Haus verstaut hatte.

Es war Hochsommer, aber die Luft war an diesem frühen Morgen in Kalifornien rauh und frisch. Erwin wünschte, Vater hätte sich vom Hauptgebäude der Ranch den Lastwagen ausgeliehen und damit das Holz transportiert, damit er es nicht jetzt eine halbe Meile weit schleppen müßte. Aber sein Vater hatte es nicht getan und erwartete bestimmt, daß das Feuer brannte, wenn er an diesem Sonntagmorgen aufstand.

Also stolperte Erwin zu dem kleinen, alten Holzhaus. Er war ein hochaufgeschossener, magerer Junge. Er hatte alte, schmutzige Drillichhosen und eine braune Wollweste an. Die metallgefaßte Brille auf seiner Nase beschlug durch seinen keuchenden Atem.

Mit langsamen Schritten stapfte er voran. Er vermied vorsichtig die rötlichen, dreiblättrigen Sträucher des Rosenholzgewächses. Diese Sträucher verursachten nämlich auf seiner empfindlichen Haut Ausschlag. Er achtete auch auf das kurze Gras, in dem sich Klapperschlangen verbergen konnten. Erwin wurde im August zwölf Jahre, aber er kannte sich vortrefflich auf dieser Ranch aus, auf der sein Vater als Knecht arbeitete.

Auch Bolo hatte sich gut ausgekannt. Bei diesem Gedanken schnürte sich Erwins Kehle wieder zu, und seine Brille wurde noch undurchsichtiger, weil seine Augen tränten. Mehr als vier Jahre hatte er Bolo gehabt. Sie waren Tag und Nacht unzertrennlich gewesen.

Erwin kam am Pumpenhaus vorbei. Aufmerksam horchte er auf das rhythmische Klopfen der Pumpe. Er hatte gestern den Treibriemen repariert und vorläufig hielt er noch. Sie sollten wirklich einen neuen Riemen haben, aber Vater kaufte keinen. Er überließ es Erwin, dafür zu sorgen, daß der alte funktionierte. Tat er es nicht, dann setzte es Ohrfeigen und Flüche.

Erwin trug das Holz ins Haus und legte es in der Küche vor

dem großen Herd nieder. Das Haus war sehr alt. Seit fünfzig Jahren diente es Rancharbeitern und ihren Familien als Unterkunft. Solange Erwins Mutter noch lebte, hatte es sehr ordentlich ausgesehen. Es war warm und sauber gewesen und es hatte immer wunderbar nach frischgebackenem Brot geduftet. Jetzt war alles anders, einschließlich des Geruchs. Jetzt roch es nach billigem Wein, obwohl Erwin die leere Flasche weggeworfen hatte.

Erwin schob die alten Zeitungen in den Ofen, legte darauf ein paar Späne und obenauf die größeren Holzstücke. Er zündete das Papier genau in dem Augenblick an, als sein Vater mit rot unterlaufenen Augen und unrasiert aus dem Schlafzimmer kam. Er trug noch immer die Kleider, in denen er gestern am späten Nachmittag seine Arbeit beendet hatte. Der Weindunst verstärkte sich im Raum.

»Höchste Zeit«, sagte sein Vater und schlurfte schwerfällig und unsicher zum Ausguß. »Wärst du so früh aufgestanden, wie du solltest, dann wärst du mit deinen Arbeiten auch rechtzeitig fertig geworden.« Sein Vater ließ an der Wasserleitung ein Glas Wasser vollaufen, trank es gierig aus und schüttete gleich ein zweites hinterdrein. Sein Vater war groß und hatte breite Schultern; er war dunkelhaarig und braun gebrannt.

»Ich bin früh aufgestanden«, sagte Erwin.

Sein Vater trank noch ein Glas Wasser.

»Ich bin gleich beim ersten Morgengrauen aufgestanden«, fuhr Erwin fort, »um Bolo zu begraben.«

Endlich drehte sich sein Vater um und sah ihn verärgert an. Sein Schädel brummte, er litt unter unstillbarem Durst. Alles reizte ihn.

»Bei den Arbeiten, die getan werden müssen, bist du nicht so pünktlich«, sagte er.

Erwin blickte durch seine Brillengläser auf seine Hände. »Warum hast du ihn umbringen müssen?«

Sein Vater runzelte die Stirn und zog die schwarzen, buschigen Brauen zusammen.

»Warum ich den unnützen Hund umgebracht habe? Warum denn nicht ...« Dann hörte er zu reden auf und blickte fort. Erwin nahm an, daß er an die vielen unbarmherzigen Fußtritte dachte, die er dem Hund versetzt hatte, bis —

»Ich weiß es noch immer nicht«, sagte Erwin. »Warum — warum hast du es getan?«

Sein Vater glotzte ihn einen Augenblick an, dann drehte er

sich zur Wasserleitung um und benetzte sich das Gesicht. Er gab keine Antwort. Erwin wußte, daß er auch später nicht antworten würde. Wenn ihm etwas nicht paßte, dann machte er einfach den Mund nicht auf. Genauso war es gewesen, nachdem seine Mutter—

Erwin preßte die dünnen Lippen zusammen. Die Bilder der Vergangenheit tauchten schemenhaft vor ihm auf. Seine Mutter war vor drei Jahren gestorben. Immer wieder hatte er seitdem an jene Nacht denken müssen, an die drohende Stimme seines Vaters, die immer lauter und zorniger geworden war, während er sich auf seinem Bett auf der Veranda fester eingerollt und Bolo dichter an sich gezogen hatte. Sie waren an jenem Tag weit marschiert, er und Bolo, und er war sehr müde gewesen. Die dunkle Stimme hatte gebrüllt und geflucht und dann hatte es sich angehört, als wäre eine Rauferei im Gange. Trotzdem aber war Erwin eingeschlafen und hatte nichts mehr gehört.

Und dann war der Morgen angebrochen. Sein Vater war mit aschfahlem Gesicht und rotgeränderten Augen im Morgengrauen ins Haus gekommen. Er hatte sofort die Polizei angerufen, ohne Erwin zu sagen, was geschehen war; und nachher hatte Erwin daran gedacht, wie selig Mutter über das Telefon gewesen war, das sie sich immer so dringend gewünscht hatte. Und durch das gleiche Telefon hatte Vater nun gemeldet, daß Mutter tot auf dem Grund des Steinbruchs liegen würde.

Später hatte er versucht, mit seinem Vater zu reden, ihn zu fragen, warum Mutter um diese Stunde zum Steinbruch gegangen war, so ein Felsrutsch sie mitgerissen und begraben hatte — warum nur? Sie war kaum jemals dorthin gegangen. Aber Vater hatte ihm rasch das Wort abgeschnitten und nie mehr darüber gesprochen.

Die Männer in Uniform hatten seinem Vater die gleichen Fragen gestellt, aber immer wieder und wieder hatte er nur geantwortet: »Ich weiß es nicht — sie ist eine gute Frau gewesen, eine gute Frau.«

Erwin hatte gestaunt, daß Vater das immer wieder beteuerte. Er hatte doch oft mitansehen müssen, wie grob und gemein Vater zu Mutter gewesen war, vor allem, wenn er so stark nach billigem Wein gerochen hatte.

Erwin versuchte diese Erinnerungen zu verdrängen. Er richtete sich auf und drückte die schmale Brust heraus.

Sein Vater drehte sich um und hielt bereits ein neues Glas Wasser in der Hand. »Sieh lieber nach dem Riemen an der Pumpe. Daß er mir nicht wieder reißt, verstanden? Und laß die Finger vom Wagen, hörst du?«

Das Versagen der Pumpe und die daraus entstehende Unterbrechung der Wasserversorgung im Haus war bei seinem Vater zur fixen Idee geworden. Dieses Thema konnte ihn immer wieder erhitzen und neu in Wut versetzen. Erwin sah nach, ob das Feuer im Ofen brannte; er ließ sich dabei Zeit. Mit halbgeschlossenen Augen dachte er darüber nach, wie es früher einmal gewesen war.

Der Platz auf dem kleinen Regal, wo das Telefon gestanden hatte, war jetzt leer. Wieder erinnerte sich Erwin daran, wie glücklich seine Mutter über den Telefonanschluß gewesen war.

»Vier Meilen sind wir von jedem Nachbarn entfernt; aber durch das Ding hier fühle ich mich sicher«, hatte sie oft gesagt.

Jetzt war es fort. Vater wollte damit kein Geld verschwenden.

»Beeil dich«, sagte sein Vater und trank ein weiteres Glas Wasser.

Erwin holte seine Zange aus einer Schublade, steckte sie in seine Hosentasche und verließ das Haus.

Er ging nicht direkt zum Pumpenhaus. Dazu war er zu wütend. Er schlenderte den Lehmweg entlang, an der staubigen Limousine vorbei und ließ die Finger zärtlich über die Kühlerhaube gleiten. Erwin hatte eine Vorliebe für jede Art von Mechanismus. Wenn sein Vater nicht in der Nähe war, öffnete er meist die Kühlerhaube, sah nach dem Motor, zog da und dort eine Schraube fest, nahm die Zündkerzen heraus, bürstete sie ab und setzte sie wieder ein. Er hätte sich gern selbst mechanisches Spielzeug gebastelt, aber er besaß weder Material noch Werkzeug, außer der Zange.

Er ging am Geräteschuppen vorbei, der keine großen Geräte enthielt. Nur ein Rechen, ein Spaten und eine alte rostige Säge waren noch da. Etwa vierzig Meter weiter kniete er neben einem frischen Erdhügel nieder. Er hatte einen großen Stein auf das Grab gerollt. Er tätschelte den Stein und weinte leise vor sich hin.

Bolo war kein reinrassiger Beagle gewesen, sondern bloß ein Bastard. Trotzdem hatte er ungefähr wie ein Beagle ausgesehen, auch wenn er größer war und eine zu lange Schnauze gehabt hatte. Er konnte unwahrscheinlich schnell laufen und hatte eine ebenso feine Spürnase wie ein Jagdhund. Hätte Erwin eine Schußwaffe besessen, dann hätte er mindestens tausend Kaninchen schießen können, denn so viele hatte Bolo aufgespürt. Mr. Kindler, dem die Ranch gehörte und der vier Meilen von hier im Haupthaus wohnte, hatte gesagt, Bolo sei der beste Jagdhund, der ihm jemals untergekommen sei. Viermal hatte er Bolo auf die Jagd mitgenommen und jedesmal hatte er ein Kaninchen heimgebracht.

Erwins Brillengläser waren vollkommen beschlagen und die Tränen rollten über seine Backen. Er dachte daran, wie Bolo ausgesehen hatte, wenn er lief. Seine kurzen, kräftigen Beine hatten weit nach hinten ausgeschlagen, er war flink wie der Wind gewesen. Doch Erwin durfte nicht daran denken, wie Bolo gewimmert hatte, als ihn der erste Tritt traf —

Tränenüberströmt wandte sich Erwin von dem Erdhügel ab. Lange Zeit konnte er nichts sehen. Er zog ein schmutziges Taschentuch aus der Hosentasche, wischte sich die Augen trocken und putzte die Brille wieder blank. Dann ging er am Geräteschuppen vorbei zum Pumpenhaus.

Die Pumpe schwieg jetzt still. Erwin hoffte, daß der Riemen nicht schon wieder gerissen war, sondern im Augenblick bloß die Rohre voll waren. Er wußte nicht, ob er den verbrauchten Riemen noch einmal zusammenflicken konnte.

Er stieß die Tür des verwitterten Schuppens auf, in dem die Pumpe untergebracht war, und blickte hinein. Der Boden war von dem durchsickernden Wasser morastig. Es roch modrig. Erwin sah, daß der Riemen in Ordnung war. Also waren im Moment nur die Rohre verstopft.

Aber dann sah Erwin auf einmal noch etwas. Seine Augen wurden um eine Spur größer. Er machte rasch, aber leise und vorsichtig kehrt, starrte noch einmal ungläubig zurück und rannte dann zum Haus.

Doch auf halbem Wege hielt er inne. Die Erregung hatte sein Gesicht verfärbt. Sekundenlang stand er wie angewurzelt; in seinem Kopf kreisten fieberhaft die widersprüchlichsten Gedanken. Seine Mutter hatte immer behauptet, daß er klug sei und flink im Denken. Vater hatte sich über Erwins mageren Körper geärgert, aber sie war stolz gewesen, daß niemand eine so rasche Auffassungsgabe hatte wie er.

Erwin eilte zum Wagen. Er warf einen Blick aufs Haus, machte die Kühlerhaube auf und zog seine Zange hervor. Alles ging sehr schnell. Dann klappte er die Kühlerhaube wieder zu, ging zum Geräteschuppen und holte den Rechen. Nach einem nochmaligen Blick auf das Wohnhaus eilte er zum Pumpenhaus zurück. Die Pumpe war nun wieder in Betrieb. Behutsam drehte Erwin den

Rechen um und schob den Griff langsam ins Pumpenhaus, bis er damit den Schalthahn an der Wand erreichte. Er drehte ihn nach unten. Die Pumpe setzte aus. Erwin zog den Rechen heraus und lief zurück zum Geräteschuppen. Dort versteckte er sich hinter der Tür im Dunkeln und wartet mit klopfendem Herzen.

Die Zeit wurde ihm lang, bis endlich sein Vater wütend und brüllend aus dem Haus stapfte. »Die Pumpe hat schon wieder ausgesetzt! Bring das Ding in Ordnung! Hörst du mich! Bißchen schnell mal!«

Erwin rührte sich nicht und antwortete nicht.

Sein Vater stand vor dem Haus. Mit funkelnden Augen sah er sich im Hof um, dann schlurfte er selbst zum Pumpenhaus. Dabei schimpfte er leise vor sich hin. Mit einem Tritt stieß er die Tür auf und polterte ins Innere. Gespannt wartete Erwin. Das Blut rauschte ihm in den Ohren.

Eine Sekunde später hörte er den Schrei. Sein Vater hetzte ins Freie, die Augen in ungläubigem Entsetzen aufgerissen. Er blieb einen Augenblick stehen, griff mit seiner Hand nach seiner rechten Wade, taumelte und stürzte, rappelte sich wieder auf und stolperte brüllend und fluchend aufs Haus zu.

Zwölf Meter vor dem Haus blieb er stehen, drehte sich um, warf verzweifelt die Arme in die Luft und schrie: »Erwin! Erwin!«

Noch nie hatte Erwin gehört, daß sein Vater ihn bei seinem Namen rief. Immer war er nur der ›Kleine‹ gewesen oder mit Schimpfnamen bedacht worden. Daher war es so erregend für ihn, daß sein Vater ihn jetzt ›Erwin‹ rief. Doch er antwortete nicht. Er bewegte sich nicht. Er wartete.

Er wartete, bis sein Vater plötzlich zum Wagen rannte, einstieg und den Starter betätigte. Der Motor heulte kräftig auf. Einmal, zweimal und ein drittesmal.

Aber der Motor sprang nicht an. Wieder schrie sein Vater. Sein Gesicht war kreidebleich vor Angst. Erwin staunte über die Reaktion seines Vaters. Er war völlig außer sich. Er hatte nicht einmal versucht, die Hose aufzuschneiden und das Gift auszusaugen. Er ließ nur immer wieder den Motor aufjaulen und brüllte ständig: »Erwin! Erwin!«

Erwin wußte nicht genau, wie lange er im Schuppen gewartet hatte. Es war jedoch ziemlich lange gewesen. Es war still, als er ins Sonnenlicht hinaustrat. Sein Vater brüllte nicht mehr.

Es war sehr still, als Erwin zum Wagen ging, über die reglose

Gestalt seines Vaters langte und nochmals die Motorhaube öffnete. Erwin war überrascht, wie still es war.

Aber er war an die Abgeschiedenheit gewöhnt. Doch als er die Zündkerzen wieder eingesetzt und die Schrauben mit seiner Zange angezogen hatte und sich auf den vier Meilen langen Weg zum Hauptgebäude machte, um den Leuten von seinem Vater und der Klapperschlange zu erzählen, da fühlte er sich doch etwas einsam. Er wünschte, Bolo würde vor ihm herlaufen und die kurzen, festen Beine in die Luft werfen. Wieder beschlugen sich seine Brillengläser, aber trotzdem war ihm jetzt leichter. Bedeutend leichter sogar.

Lily Bell

Die meisten Leute hielten Lily Bell Winston für ein sträflich leichtfertiges Ding. Kannte man sie erst so gut wie ich, dann bemerkte man, daß sich unter ihrer koketten Fassade auch ein sehr materialistischer Kern verbarg. Es stimmte zwar, daß sie vor ihrer Ehe von einem Burschen zum anderen geflattert war, aber selbst als Teenager wußte sie schon genau, was sie vom Leben erwartete. Sie hätte wohl gern Liebe und Sicherheit in einer Ehe gefunden, doch als sie begriff, daß sie sich für das eine oder das andere entscheiden mußte, zog sie die Sicherheit vor.

Ich konnte ihr deswegen keinen Vorwurf machen, denn sie war in ihrer Jugend schrecklich arm gewesen. Ihre verwitwete Mutter führte zwar die einzige Pension von Pig Ridge Center, doch wenn man bedenkt, daß das ganze Dorf nur dreihundert Einwohner zählte, so kann man sich vorstellen, daß sie bei diesem Geschäft nicht reich werden konnte. Vermutlich hatte sie gefunden, daß sie nur vom Regen in die Traufe käme, wenn sie ihr armseliges Zuhause gegen eine Ehe mit Skeeter Hawkins oder mir vertauschte.

Skeeter Hawkins und ich machten Lily Bell den Hof, so lange wir in die Oberschule gingen. Keiner — ich glaube selbst Lily Bell nicht — konnte sagen, welchen von uns beiden sie wirklich bevorzugte. Doch alle im Bezirk Pig Ridge waren sich darüber einig, daß sie eines Tages ihn oder mich zum Mann nehmen würde. Es war für die Nachbarschaft eine große Überraschung, als sie im Sommer nach Schulschluß plötzlich einen anderen heiratete.

Sie teilte ihren Entschluß zuerst mir mit, was ein gewisser Trost für mich war. Ich nahm an, daß ich Skeeter überrundet hätte, wäre nicht ein Dritter auf der Bildfläche erschienen.

Sie kam zum Hausboot, auf dem Pa und ich wohnten. Obwohl es ein heißer Julitag war, sah sie in ihrem weiß-rosa Baumwollkleid so kühl und frisch aus, als wären statt vierzig nur achtzehn Grad Wärme im Schatten. Das flachsblonde Haar war mit einem rosa Band zu einem Ponyschweif hochgebunden; sie sah dadurch eher wie eine Vierzehnjährige aus, obwohl sie schon fast neunzehn war. Kaum sah ich, wie sie mit katzenhafter Geschicklichkeit das steile Flußufer herabkam, begann mein Herz zu pochen.

Ich war gerade dabei, eine Angelleine vom Heck des Hausbootes zu einer Boje hin zu spannen, die Pa im Fluß ausgelegt hatte. Als ich Lily Bell das Ufer herabkommen sah, ruderte ich zum Hausboot zurück und war an Deck, ehe sie bei der Planke anlangte, die wir als Landesteg benützten. Ich weiß noch, daß ich mir wünschte, auf ihren Besuch vorbereitet gewesen zu sein, denn ich trug uralte Baumwollhosen und hatte nicht einmal Schuhe an. Das Hausboot befand sich wie immer in ziemlicher Unordnung.

Sie hüpfte über den Steg, sah sich um und fragte unvermittelt: »Ist Mr. Harrow hier?«

»Pa ist im Dorf«, sagte ich.

Sie nickte. »Dachte ich mir's doch, daß er an einem Tag wie heute in der Kneipe sitzt. Ich wollte dich allein sprechen.«

Ich lächelte sie erfreut an.

Aber mein Lächeln verschwand, als sie sagte: »Ich werde heiraten, Pete.«

»Skeeter«, fragte ich verdrossen.

Sie schüttelte den Kopf. »Ehe ich dir sage, wer es ist, sollst du wissen, warum ich es tue. Ich finde, daß ich dir und Skeeter eine Erklärung schuldig bin. Ich mag euch wirklich beide sehr gern, das weißt du doch.«

»Aber einen anderen noch lieber, hm?« sagte ich leicht gekränkt.

Wieder schüttelte sie den Kopf. »Ich würde vom Fleck weg einen von euch beiden heiraten, wenn er eine Zukunft hätte. Aber was habt ihr einer Frau schon zu bieten?«

Ich fühlte, daß ich rot wurde. »Wir sind kaum aus der Schule und erst neunzehn Jahre alt. Da kannst du doch nicht erwarten, daß wir schon Millionäre sind.«

»Ihr werdet es nie auch nur zu ein paar hundert Dollar bringen. Ich weiß, was du dir vom Leben wünschst, Pete. Du wirst im Sommer im Fluß fischen und im Winter in den Bergen Fallen stellen, genau wie dein Pa. Erwartest du von mir, daß ich zu dir auf dieses Hausboot ziehe und eine Schar zukünftiger Flußratten aufpäpple?«

Ich lief noch dunkler an. »Pa ist immer gut durchgekommen. Er hat mit dem Fischfang und dem Fallenstellen genug verdient, um meine Oberschule bezahlen zu können, oder nicht?«

Ihre Lippen schürzten sich zu einem mitleidigen Lächeln.

»Was nützt dir die Schulbildung, wenn du nie von ihr Gebrauch machst?«

»Was sollte ich deiner Meinung nach denn anfangen? Im ganzen Dorf gibt es nicht mehr als ein Dutzend bezahlter Posten und die sind alle vergeben. Wenn man bei uns keinen Grundbesitz hat, muß man fischen und Fallen stellen.«

»In der Stadt gibt es Arbeit.«

Das war gemein, denn sie wußte, daß ich Pig Ridge Center nie verlassen würde. Kein vernünftiger Mensch würde das tun. Auf der ganzen Welt gab es kein friedlicheres, schöneres Plätzchen. Vielleicht waren wir ein bißchen hinter der Zeit zurück, dafür verstanden wir es, unser Leben zu genießen, ohne uns abzuhetzen. Trotz ihres Ehrgeizes hätte auch Lily Bell nie daran gedacht, in die Stadt zu ziehen. Sie hatte eine ältere Schwester, die dort verheiratet war, und sooft Lily Bell sie besuchte, schwor sie bei der Rückkehr, daß sie lieber sterben würde, als das Leben in Pig Ridge County gegen dieses hastige Leben zu vertauschen.

»Würdest du mit mir kommen?« fragte ich.

»Es ist sinnlos, darüber zu reden«, antwortete sie. »Ich bin nicht gekommen, um mit dir zu streiten. Ich wollte dir bloß meine Absichten sagen, damit wir uns als Freunde trennen können.«

»Hast du schon mit Skeeter darüber gesprochen?«

»Nein, aber das kommt noch. Er hat ungefähr die gleichen Aussichten wie du. Er wird zwanzig Jahre damit verbringen, seinem Pa zu helfen, die winzige Farm zu bestellen. Und wenn sein Vater stirbt, werden er und sein Bruder jeweils die Hälfte davon erben.«

Mir lag nichts daran, eine Lanze für Skeeter Hawkins zu brechen.

»Wer ist der Glückliche?« fragte ich.

Sie holte tief Luft, ehe sie sagte: »Bill Skim.«

Ich riß entsetzt die Augen auf. »Dieser Greis?« platzte ich heraus. »Aber der muß schon vierzig Jahre alt sein!«

»Achtunddreißig«, sagte sie. »Und er ist der reichste Junggeselle im Bezirk. Er hat tausend Hektar Boden, vierzig Milchkühe, bezahlte Landmaschinen im Wert von fünfzigtausend Dollar, ein schönes, großes Haus und zehntausend Dollar auf der Bank.«

»Er scheint dir gleichzeitig mit seinem Antrag auch seine Vermögensverhältnisse unterbreitet zu haben«, sagte ich hämisch.

»Hat er. Vermutlich hat er gewußt, daß er sein Aussehen mit einigen handfesten Zahlen aufwiegen muß. Er ist kaum so hübsch wie du oder Skeeter.«

»Zu liebenswürdig«, sagte ich. »Er ist auch kaum so hübsch wie die Vogelscheuchen, die er in seinen Feldern aufstellt.«

»Sei nicht so böse, Pete. Ich möchte, daß wir als Freunde auseinandergehen.«

»Wir können ja auch später noch hie und da miteinander reden«, brummte ich.

»Ich meine, gute Freunde. Ich würde gern wissen, daß ich mich, falls ich jemals etwas brauche, immer noch an dich wenden darf.«

Sie sah mich so schmachtend an, daß ich trotz meines Kummers lächeln mußte. »Du weißt verdammt gut, daß ich auch in zehn Jahren noch angerannt komme, wenn du etwas brauchst, selbst wenn ich mit einer anderen verheiratet sein sollte, was nie der Fall sein wird.«

»Du wirst ein anderes Mädchen finden«, versicherte sie. »Du und Skeeter auch. Lebewohl, Pete.«

Sie huschte zu mir, stellte sich auf die Zehenspitzen, um mir einen flüchtigen Kuß auf den Mund zu drücken und lief dann über den Steg an Land zurück.

Skeeter Hawkins und ich waren niemals Freunde gewesen, aber unser gemeinsames Leid ließ uns an Lily Bells Hochzeitstag zusammenkommen. Vermutlich waren wir beiden die einzigen Klassenkameraden, die der Hochzeit nicht beiwohnten. Wir schlenderten zu Juniper Joe, der einzigen Kneipe von Pig Ridge Center, und tranken uns gemeinsam einen Rausch an.

Das war ein Fehler, denn wenn wir zu Beginn auch Mitleid miteinander gehabt hatten, so brachte der zu reichliche Whiskykonsum bis zur Sperrstunde doch unsere natürliche Feindschaft wieder zum Vorschein. Skeeter machte eine Bemerkung, die mir nicht gefiel — ich war zu betrunken, um noch zu wissen, was er sagte —, und ich forderte ihn auf, mit mir hinters Haus zu gehen. Mittlerweile waren alle Gäste bis auf uns beide heimgegangen. Wir torkelten durch die Hintertür, die Juniper Joe hinter uns von innen absperrte. So war niemand da, der unseren Streit hätte beilegen können.

In nüchternem Zustand hätten wir einander vielleicht erschlagen, da wir beide ein Meter fünfundachtzig groß waren und an die zweihundert Pfund wogen. Aber wir waren viel zu betrunken, um uns gegenseitig gefährlich werden zu können. Wir taumelten umher, verfehlten uns mit unseren ziellosen Hieben und stürzten, vom eigenen Schwung getrieben, zu Boden. Wir zerrissen beide unsere Anzüge und schlugen uns die Knie blutig, aber ich kann mich nicht entsinnen, daß einer von uns einen gezielten Schlag gelandet hätte.

Schließlich wurde es Skeeter übel, und ich mußte ihm den Kopf halten. Nachher schüttelten wir uns die Hände und versicherten einander, wir hätten großartig gekämpft.

Der Zwischenfall verwandelte uns aber trotz des abschließenden Händedrucks nicht in Freunde. Sobald wir ausgenüchtert waren, haßten wir uns nicht mehr als zuvor, aber wir waren einander auch nicht sympathischer geworden. Wir gingen uns einfach genau wie früher soviel wie möglich aus dem Weg.

Im Jahr darauf bekam ich weder von Lily Bell noch von Skeeter viel zu sehen. Zweimal traf ich zufällig mit Skeeter zusammen und einmal sah ich Lily in ihrem neuen Wagen durchs Dorf fahren. Aber sie schien mich nicht zu sehen, denn sie winkte nicht einmal. Ich verbrachte die meiste Zeit am Fluß, bis es kalt wurde. Dann zog ich mich für den ganzen Winter in unsere Hütte auf dem Saurücken zurück und ging auf Pelztierfang. Ich kam in diesem Jahr nur ein paarmal ins Dorf.

Pa hielt mich allerdings auf dem laufenden, weil er weder im Sommer noch im Winter einen Samstag bei Juniper Joe versäumte. Und in der Kneipe hörte man den ganzen Dorfklatsch.

Pa erzählte mir, daß Lily Bell nach den Maßstäben von Pig Ridge County ein ziemlich großartiges Leben fuhre. Bill Skim hatte ihr den neuen Wagen gekauft, in dem ich sie gesehen hatte, dazu eine Anzahl hübscher Kleider. Sie fuhr durchs ganze Land und ließ sich bewundern. Skim, der in seinem ganzen Leben keinen Tanzboden besucht hatte, wurde nun von seiner jungen Frau zu sämtlichen Tanzveranstaltungen gezerrt. Pa sagte, daß er genauso schweigsam und langweilig wie immer sei, aber wenigstens ginge er jetzt unter Menschen. Er tanze selten mehr als einen Tanz, erzählte Pa; er würde dann an die Theke gehen und finsteren Blicks beobachten, wie sich seine Frau für den Rest des Abends vergnüge. Man munkelte, daß Lily Bell beim Tanzen mit den jungen, ledigen Burschen kokettiere, ganz besonders mit Skeeter Hawkins.

Ein zweites Jahr verstrich. Ich lebte immer noch ziemlich zurückgezogen. Pa berichtete, daß Lily Bell weiterhin durchs Land reise und nach wie vor die Ballschönheit bei allen Tanzveranstaltungen sei.

Im Sommer berichtete Pa mir eine Neuigkeit über Skeeter Hawkins. »Der junge Skeeter Hawkins hat sich einen Posten geangelt.«

Ich zog die Brauen hoch und wartete ab.

»Jim Biggs hat sein Amt als Hilfssheriff niedergelegt und Sheriff Hill hat Skeeter an seinen Platz gesetzt.«

Ehrlich gesagt, war ich neidisch. In einer auf die Landwirtschaft ausgerichteten Gemeinde wie der unseren war die Stelle des Hilfssheriffs einer der wenigen bezahlten Posten, die interessant waren. Für einen jungen Mann von Skeeters Alter war sie sehr aussichtsreich. Sheriff Albert Hill war schon über sechzig und keiner seiner anderen vier Hilfssheriffs war unter vierzig. In knapp fünf Jahren würden sie alle das pensionsreife Alter erreicht haben und Skeeter würde dann der rangälteste Hilfssheriff sein. Mit sechsunddreißig Jahren konnte er recht gut Kreissheriff werden. Hätte ich von der freien Stelle gewußt, dann hätte ich mich selbst darum beworben, aber ich erfuhr erst durch Pa davon.

Gegen Ende August stattete Lily Bell an einem Samstagnachmittag dem Hausboot einen Besuch ab. Ich nahm eben einen Wels aus, da hörte ich oben an der Straße neben dem Flußufer einen Wagen bremsen. Lily Bell kletterte aus dem blitzenden blauen Auto und kam mit zimperlichen Schritten die Böschung herab. Sie trug ein rosafarbenes Strickkleid und Schuhe mit spitzen hohen Absätzen.

Wie immer bei heißem Wetter hatte ich nichts weiter an als meine alten Baumwollhosen. Ich warf den Wels in einen Eimer und wischte mir die Hände an einem Lappen sauber, als sie über den Steg auf mich zukam. Ich sah sofort, daß sie ein blaues Auge hatte.

»Hallo, Pete«, sagte sie, ohne zu lächeln. »Ich bin eben vorbeigefahren, da dachte ich, ich könnte dich mal besuchen. Ist Mr. Harrow hier?«

Sie wußte genau, daß Pa an einem Samstag nie da war, deshalb überhörte ich die Frage. »Was ist mit deinem Auge geschehen?«

Sie zögerte einen Augenblick, ehe sie sagte: »Ich bin auf der Farm in etwas 'reingerannt.«

»In eine Faust vielleicht?« erkundigte ich mich.

Sie setzte sich auf die Reling, stützte das Gesicht in beide Hände und begann zu weinen. Ich hatte sie noch nie weinen gesehen und wußte nicht, was ich tun sollte. Verlegen trat ich von einem Fuß auf den anderen, tätschelte ihr die Schulter und sagte: »Bitte, wein nicht, Lily. Bitte, wein nicht.«

Nach einer Weile trocknete sie sich die Augen mit einem winzigen Taschentuch, schnupfte ein paarmal und fragte mit hoffnungsloser Stimme: »Was soll ich tun, Pete?«

Obwohl ich fürchterlich empört über ihren Mann war, konnte ich mir den Einwurf nicht verkneifen: »Es ist also doch nicht so wunderbar, wie du es dir ausgedacht hast, wie?«

Sie sah mich vorwurfsvoll an. »Ich dachte, du würdest immer mein Freund bleiben, Pete.«

»Tut mir leid«, sagte ich. »Das bin ich auch. Ist es das erstemal?«

Sie schüttelte den Kopf. »Das zehntemal vielleicht. Es wird immer schlimmer mit ihm. Ich kann kaum noch die Farm verlassen, ohne daß er mir beim Heimkommen eine Szene macht. Er macht mir die verrücktesten Vorwürfe. Er scheint es sich unter anderem in den Kopf gesetzt zu haben, daß ich ein Verhältnis mit Skeeter habe; nur weil ich ein paarmal mit ihm getanzt habe.«

Als ich nichts antwortete, sagte sie: »Ich schwöre dir, ich habe ihm keinen Anlaß gegeben, mich zu verdächtigen. Ich bin ihm eine gute Frau. Was soll ich nur tun, Pete?«

»Geh fort von ihm.«

»Damit ich wieder in die gräßliche Pension meiner Mutter zurückziehen muß?«

Was konnte ich ihr darauf erwidern? Sollte ich ihr eine Koje im Hausboot anbieten? Das wäre selbst der Pension gegenüber noch ein Abstieg gewesen.

»Immerhin darf er dich nicht verprügeln«, sagte ich. »Warum läßt du ihn nicht verhaften?«

Sie sah mich aus verängstigten Augen an. »Du kennst ihn

nicht«, flüsterte sie. »Er würde mich umbringen, sobald er wieder frei wäre.«

»Er wird niemanden umbringen«, versicherte ich ihr. »Ich ziehe mir nur rasch ein Hemd und Schuhe an. Dann begleite ich dich nach Hause. Ich werde diesen Kerl schon davon überzeugen, daß ich ihm den Hals langziehen werde, bis er wie eine Gans aussieht, falls er noch einmal Hand an dich legt.«

Sie sprang auf und sagte erschrocken: »Bitte nicht, Pete. Misch dich bitte nicht ein!«

Ich zog die Brauen hoch. »Wozu bist du dann hergekommen, wenn ich mich nicht einmischen soll?«

»Um mich auszusprechen, vermutlich. Aber ich sehe, daß das ein Fehler war. Bitte versprich mir, daß du meinen Besuch vergißt. Erzähle niemandem, daß ich hier war und unternimm auch nichts.«

»Ich werde nichts sagen oder tun, was du nicht willst«, versprach ich ihr. »Ich habe gedacht, du bittest mich um Hilfe.«

»Nein. Ich hätte gar nicht kommen sollen. Vergiß es einfach.« Ehe ich noch ein weiteres Wort sagen konnte, eilte sie den Steg zum Land zurück.

Ich hielt Wort und erzählte nicht mal Pa von ihrem Besuch. Zwei Wochen später erkundigte ich mich nebenbei, ob er etwas von den Skims gesehen oder gehört hätte.

Pa sagte, er hätte sie ein paarmal gesehen und sie seien beide gesund. »Aber jetzt, da du davon redest, fällt mir ein, daß Lily Bell angeblich nicht mehr soviel allein spazierenfahren soll wie früher«, sagte er. »Ich hörte auch, daß sie bei der letzten Tanzveranstaltung hauptsächlich neben Bill gesessen hat, statt ihn allein an der Bar zu lassen und zu tanzen. Vielleicht wird sie auch allmählich ruhiger.«

Sie hatte ihr Problem damit gelöst, daß sie weniger ausging und ihrem Mann dadurch keinen Grund zur Eifersucht gab. So sah es aus. Ich stellte mir höchst ungern vor, daß sie in diesem großen Haus festsaß und nur Bill Skim ihr Gesellschaft leistete; aber sie hatte es schließlich so wollen. Ich versuchte, nicht länger daran zu denken.

Inzwischen war es November geworden. Der erste Schnee war bereits gefallen. Ich dachte immer noch an Lily Bell. Ich hatte eine Menge Zeit, an sie zu denken, denn ich hauste damals ganz

allein in unserer Hütte auf dem Saurücken. Pa hatte das Fallenstellen aufgegeben, da ich jetzt alt genug war, selbst für mich zu
sorgen, und im Winter nicht mehr zur Schule gehen mußte. Im
Sommer half er mir zwar immer noch beim Auslegen der Angel-
schnüre, weil er gern fischte, aber er behauptete, der Winter sei
für seine alten Knochen schon zu kalt.

Ich lebte bereits seit zwei Wochen allein in der Hütte, als Lily
Bell mich besuchte. Unsere Hütte lag direkt unter dem Kamm
des Saurückens inmitten der Berge. Die letzten drei Meilen mußte
man zu Fuß zurücklegen. Man mußte zwei niedrige Hänge überqueren und dann beinahe bis zum Gipfel des Saurückens hinauf-
steigen. Um diese Jahreszeit konnte man unsere Hütte nur mit
Skiern oder Schneereifen erreichen.

Ich nahm die Skier zur Abfahrt und die Schneereifen zum Aufstieg, aber Lily Bell war nur mit Schneereifen ausgerüstet. So
mußte sie durch den Schnee stapfen.

Sie wartete in der Hütte auf mich, als ich gegen vier Uhr nachmittags von meinem täglichen Routinerundgang zurückkehrte. Sie
saß auf dem unteren der beiden Stockbetten und hatte Skihosen
und eine Bluse an. Ihr pelzgefütterter Anorak hing über einer
Stuhllehne und ihre Schneeschuhe hatte sie in eine Ecke gestellt.
Sie hatte das glänzende flachsblonde Haar wie immer zu einem
Ponyschwanz frisiert, den eine rosa Schleife zusammenhielt. Sie
hatte die Petroleumlampe angezündet und im Holzofen Feuer gemacht. Ich warf die Tasche, in der zwei Biber und ein Fuchs steckten, in einen Winkel, lehnte mein Gewehr an die Wand und zog
meinen Anorak aus und hängte ihn auf.

»Willst du mir nicht einmal guten Tag sagen?« fragte sie.

»Ich versuche, mich von meiner Überraschung zu erholen«,
antwortete ich. »Ich hatte zwar eine Spur gesehen, die zur Hütte
führt, aber ich dachte, sie stamme von einem Jäger. Guten Tag
also.«

Sie lächelte mich unsicher an. »Du wunderst dich also, daß ich
hier bin?«

Ich ging zum Ofen, um mir die Hände zu wärmen. »Ja. Warum
bist du hier?«

»Weil ich mich von Bill trenne. Ich halte es nicht mehr aus.«

Ich sah sie forschend an. Sie hatte keinerlei Schrammen oder
blaue Flecke. »Mißhandelt er dich immer noch?«

Sie schüttelte den Kopf. »Seit ich dich zum letztenmal besuchte, hat er mich nicht mehr geschlagen. Ich gebe ihm einfach keinen Anlaß. Ich bleibe daheim und wir sitzen da und starren einander an. Das macht mich verrückt. Ich muß von ihm fort.«

»Jetzt gleich?« fragte ich. »Gehst du gar nicht mehr nach Hause?«

»Doch. Heute abend. Zum letztenmal. Morgen nachmittag fahre ich mit dem Autobus in die Stadt. Ich werde bei meiner Schwester in Abagail wohnen, bis ich mir darüber klar geworden bin, ob ich mich von ihm scheiden lassen soll.«

»Wird er dich nicht verprügeln, wenn du heute abend heimkommst? Was wirst du ihm sagen, wo du gewesen bist?«

»Er ist nicht zu Hause. Er mußte wegen eines Ersatzteils für den Traktor in die Stadt fahren und wird nicht vor Mitternacht heimkommen. Bis dahin liege ich längst im Bett.«

Ich kratzte mir das Kinn. »Warum hast du den weiten Marsch auf dich genommen, um mir das alles zu erzählen?«

»Weil ich dich um einen Gefallen bitten möchte. Du hast mir einmal gesagt, daß du sofort angerannt kommen würdest, wenn ich dich um etwas bäte. Gilt das noch?«

»Natürlich. Jetzt, in zehn Jahren und immer.«

»Ich habe Angst, Bill bringt mich um, wenn er erfährt, daß ich ihn verlassen will. Ich habe schon einmal damit gedroht. Damals sagte er, er würde mich nicht lebend fortlassen. Ich möchte, daß du mich morgen gegen Mittag abholst und zum Autobus bringst. Der fährt um zwei Uhr ab.«

Ich sah sie stirnrunzelnd an. »Wäre es nicht einfacher, gleich den Autobus zu nehmen, so lange dein Mann nicht da ist?«

»Du weißt doch, daß heute kein Bus verkehrt. Er geht nur dreimal die Woche.«

Das wußte ich zwar, aber in meiner Einöde hatte ich nicht mitbekommen, welchen Tag wir hatten.

»Warum fährst du nicht mit dem Auto zu deiner Schwester?« fragte ich. »Es sind nur fünfundachtzig Meilen.«

»Weil Bill den Wagen genommen hat. Ich bin im Lieferwagen hergefahren. Und der hält fünfundachtzig Meilen kaum mehr durch. Er ist kurz vor dem Zusammenbrechen.«

»Na schön«, sagte ich. »Ich werde dich mittags abholen. Ich gehe zum Hausboot und hole mir dort die alte Klapperkiste. So gegen elf Uhr. Welchen Tag haben wir morgen?«

»Samstag«, sagte sie, überrascht über meine Frage.

»Dann wird Pa nicht daheim sein und ich muß keinerlei Erklärungen abgeben. Und jetzt ist es besser, du gehst wieder, ehe es dunkel wird. Ich begleite dich bis zu deinem Lieferwagen.«

»Nein«, sagte sie hastig. »Ich kenne die Berge genausogut wie du. Mir geschieht schon nichts.«

Der Abstieg vom Saurücken war nicht halb so schwierig wie der Aufstieg. Ich benützte keine Schneereifen, aber ich hängte sie mir doch über den Rücken, weil ich sie für den Rückweg brauchen würde.

Der Saurücken war ziemlich hoch. Wer die einzelnen Hänge ausreichend kannte, konnte bei der Abfahrt ein Tempo erreichen, das ihn glatt über den ersten Hügel hinweg und auch noch den zweiten Hügel hinauftrug. Bis zum Kamm des zweiten Hügels mußte man allerdings noch etwa fünfundzwanzig Meter gehen. Von da aus konnte man dann ungehindert bis zur Straße hinunterfahren.

Von der Straße bis zum Hausboot waren es nur noch fünf Meilen. Der Schnee war überall fest. Da diese Nebenstraße nur von Jägern benützt wurde, gab es keinerlei Verkehr. Ich begegnete nicht einem einzigen Auto.

Unser Hausboot lag zwei Meilen flußaufwärts von Pig Ridge Center entfernt. Ich mußte also nicht durchs Dorf gehen. Gegen elf kam ich beim Boot an. Ich hatte auf dem ganzen Weg nicht einen einzigen Menschen getroffen. Pa war natürlich nicht daheim. Bestimmt saß er wie jeden Samstag in Junipar Joes Kneipe. Ich verstaute meine Skier, die Schneereifen und das Gewehr, schlüpfte aus meiner Jagdkleidung und nahm ein Bad. Dann zog ich mir einen Anzug, einen Mantel und Galoschen an.

Ich hatte mein altes Ford-Coupé in einer unbenützten Scheune untergestellt, die einige Meter vom Hausboot entfernt war. Nachdem der Wagen solange gestanden hatte, dauerte es fünfzehn Minuten, ehe er ansprang. Es war bereits zwanzig Minuten vor zwölf, als ich losfuhr. Ich rechnete mir aus, daß ich etwa gegen zwölf auf der Farm der Skims ankommen würde.

Ich fuhr — genau wie ich gekommen war — die Flußstraße bis zur Kreuzung nach Howe; dann bog ich nach Osten ab, fuhr zwei Meilen an den Bergen entlang, und dann wieder etwa eine Meile über eine Kiesstraße bis zur Farm. Die Hauptstraße durchs Dorf war um anderthalb Meilen kürzer; aber aus irgendeinem Grund war es mir lieber, daß ich von keinem auf dem Weg zur Farm gesehen wurde. Wenn ich nachgedacht hätte, wäre mir eingefallen, daß man mich auf jeden Fall sehen mußte, wenn ich Lily Bell bei der Autobushaltestelle absetzte. Aber so weit dachte ich gar nicht. Ich hielt es einfach für vernünftiger, nicht extra aufzufallen, wenn ich die Frau eines anderen abholte. Unterwegs begegneten mir auch nur zwei Autos, deren Fahrer ich nicht kannte.

Zwei Hunde kamen bellend aus der Scheune gelaufen, als ich auf den Hof der Farm fuhr und neben dem Seiteneingang des großen Hauses parkte. Ich stieg aus, die Hunde beschnupperten meine Galoschen, begannen zu wedeln und liefen in die warme Scheune zurück.

Auf meiner Uhr war es Punkt zwölf, als ich an die Seitentür klopfte.

Etwa eine Minute verstrich, ehe Bill Skim mir öffnete. Er war ein hagerer Mann mit einem schmalen Gesicht, tiefliegenden Augen und einer Geiernase über einem strichartigen Mund. Sein dichtes pechschwarzes Haar war so glatt wie das eines Indianers. Er war immer etwas mürrisch. Er trug ein Flanellhemd und eine saubere Arbeitshose mit Brustlatz.

Er sah mich unfreundlich an. »Was wünschen Sie, Harrow?«

»Lily Bell. Ist sie fertig?«

»Was soll das heißen, Lily Bell?«

»Ihre Frau«, sagte ich geduldig. »Ich wollte sie ins Dorf fahren.«

Sein Gesicht verfinsterte sich. »Sie ist nicht da. Sie ist in die Stadt zu ihrer Schwester gefahren.«

Er wollte schon die Tür schließen, aber ich stemmte die Schulter dazwischen und drängte mich ins Haus. Er wich zurück und sah mich wütend an.

Ich drückte die Tür hinter mir zu und lehnte mich mit dem Rücken dagegen. »Wo ist sie?«

»Das sagte ich Ihnen doch schon: in der Stadt. Was bilden Sie sich eigentlich ein, daß Sie mit Gewalt in mein Haus eindringen?«

»Wann ist sie weggefahren?«

»Ich habe sie gestern vormittag weggebracht.«

Ich sah ihn unverwandt an, bis er rot wurde.

»Was haben Sie denn?« fragte er.

»Sie war gestern nicht in der Stadt. Ich habe sie um vier Uhr gesehen.«

»Sie müssen verrückt sein«, sagte er. »Ich habe sie um elf Uhr vormittags in Abagail abgesetzt. Was geht Sie das überhaupt an?

»Ich sehe mich hier einmal um«, entschied ich.

»Verschwinden Sie, oder ich hole den Sheriff!«

Ich stellte mich dicht vor ihn und sah auf sein Gesicht herab. Er war einen Kopf kleiner als ich und gut sechzig Pfund leichter. Unruhig wich er zurück.

»Ich werde das Haus durchsuchen«, teilte ich ihm mit. »Sie bleiben dicht hinter mir und halten den Mund. Wenn Sie Zicken machen, werden Sie es bereuen.«

Er starrte mich an, als sei ich nicht recht bei Verstand. Dann leckte er sich die Lippen und sagte: »Ich will keinen Ärger mit Ihnen haben, Harrow. Sehen Sie sich um und dann hauen Sie ab.«

In den ebenerdigen Räumen war keine Spur von Lily Bell zu entdecken. Ich ließ Skim vor mir die Treppe nach oben gehen. Oben befanden sich vier Zimmer und ein Bad. Zwei Räume dienten als Schlafzimmer, einer als Vorratskammer; der eine der Räume war abgesperrt.

Nachdem ich in den unversperrten Zimmern und im Bad nachgesehen hatte, ohne Lily Bell zu finden, forderte ich ihn barsch auf: »Her mit dem Schlüssel zu dieser Tür!«

»Das ist Lily Bells Nähstube«, sagte er. »Bestimmt hat sie den Schlüssel bei sich. Ich wußte nicht einmal, daß die Tür versperrt ist.«

Ich hatte keine Lust zu streiten. Ich rannte mit der Schulter gegen die Tür und sprengte das Schloß.

»He!« keifte Skim.

Dann schwieg er, als er hinter mir ins Zimmer trat und sah, was ich anstarrte. Mitten auf dem Teppich war ein großer Fleck geronnenen Blutes. Auch die Nähmaschine war blutverschmiert und mehrere Blutspritzer bedeckten die Wand.

In meinem Kopf begann es zu hämmern. Ich drehte mich zu Skim um, dessen Mund entsetzt offen stand. Als er meinen Gesichtsausdruck sah, wich er rücklings auf den Flur aus.

»Haben Sie sich beim Rasieren geschnitten?« fragte ich und ging ihm nach.

Er hob abwehrend die Hände hoch. »So warten Sie doch, Harrow. Sie haben kein Recht . . .«

Ich packte ihn am Hemd und schüttelte ihn, bis seine Zähne

klapperten. Als ich ihn losließ, taumelte er über den Fußboden bis zur anderen Wand.

»Es hat wohl keinen Zweck, Sie viel zu fragen«, sagte ich drohend. »Wir sehen uns lieber noch gründlicher um.«

Ich schob ihn vor mir her zur Treppe. Er ging nach unten, und blickte immer wieder erschreckt über die Schulter zurück, als hätte er Angst, ich würde ihn plötzlich von hinten überfallen und verprügeln.

Ich unterzog das Erdgeschoß einer genaueren Untersuchung. Beim erstenmal hatte ich nur alles untersucht, was genügend groß war, um darin eine Frau oder ihre Leiche verstecken zu können. Diesmal ließ ich nichts ungeöffnet.

Hinter der Küche lag eine Waschküche. Darinnen standen Tröge, eine Waschmaschine und ein altmodischer Kohlenofen. Im Ofen entdeckte ich verbrannte Kleider.

Ich zerrte ein halbverkohltes Kleid hervor. Die Stoffreste zeigten eingetrocknete Blutflecken.

Ich stocherte weiter im Ofen herum und fischte mehrere Stücke Damenwäsche heraus, die ebenfalls verbrannt und blutverschmiert waren, sowie ein Paar Damenschuhe und ein rosa blutgetränktes Haarband.

Bill Skim starrte mit glasigem Blick auf den Kleiderhaufen. Er war offenbar unfähig zu sprechen.

Ich schob ihn vor mir her zur Tür des Holzschuppens, der an die Waschküche grenzte. In einer halbleeren Holzkiste lag eine blutbefleckte Axt, an der mehrere lange flachsblonde Haare klebten.

Ich hatte das Gefühl, verrückt zu werden. Nur mit größter Anstrengung unterdrückte ich das Verlangen, die Axt aufzuheben und damit Skim den Schädel einzuschlagen.

»Ziehen Sie sich Rock und Stiefel an«, sagte ich leise. »Wir gehen hinters Haus.«

»Hören Sie doch«, sagte er, »ich weiß nicht, was das alles zu bedeuten hat.«

Mit zusammengebissenen Zähnen zischte ich: »Wenn Sie noch mal den Mund auftun, erschlage ich Sie. Holen Sie Ihr Überzeug.«

Er widersprach mir nicht länger. Er war so eingeschüchtert, daß er beinahe flog, um sich zum Ausgehen anzukleiden.

Hinter der Scheune fand ich, was ich suchte. Ein Rechteck von ungefähr einem mal zwei Meter war vom Schnee freigeschaufelt worden; die Erdschollen waren frisch umgegraben. Damit war mein Verdacht endgültig bestätigt.

Nachdem wir beide die Stelle eine Zeitlang angestarrt hatten, fragte ich entsetzt: »Wann sind Sie gestern aus der Stadt zurückgekommen?«

»Wie?« fragte er und glotzte mich blöde an.

»Wann Sie gestern aus der Stadt zurückgekommen sind, will ich wissen!« schrie ich ihn an. »Schnell, antworten Sie!«

Er rückte einen Schritt von mir ab und flüsterte: »So gegen fünf Uhr nachmittags. Warum?«

Das bedeutete, daß Skim zu Hause war, als Lily Bell von ihrem Besuch bei mir zurückkehrte, dachte ich. Ich überlegte, ob sie den Irrtum begangen hatte, ihm zu gestehen, wo sie gewesen war, und daß sie die Absicht hatte, ihn heute zu verlassen.

Im Grunde war es einerlei, was den Streit heraufbeschworen hatte. Ich konnte an nichts anderes denken, als daß ich Lily Bell nie wieder sehen würde. Das Hämmern in meinem Kopf wurde unerträglich. Ich erinnerte mich nicht einmal mehr daran, daß ich ihn an der Kehle packte. Aber als ich ihn schließlich losließ, wehrte er sich nicht mehr.

Ich ließ ihn neben dem Grab liegen und stolperte zum Wagen. Als ich den Motor anließ, kamen die Hunde wieder bellend aus der Scheune. Sie rannten dem Wagen kläffend bis zur Straße nach, dann trotteten sie schweifwedelnd zur Scheune zurück.

Ich fuhr auf dem gleichen Weg zum Hausboot zurück, auf dem ich gekommen war. Das war keine Absicht, denn ich war im Grunde unfällig, besonders bedachtsam zu handeln. Nur der Instinkt hatte mich davon abgehalten, durchs Dorf zu fahren, wo mich zwangsläufig mindestens ein Dutzend Menschen gesehen hätte.

Erst zu Hause begriff ich, daß ich einen Mord begangen hatte. Dann fiel mir ein, daß kein Mensch wußte, daß ich die Hütte im Gebirge verlassen hatte.

Ich stellte den Wagen in der unbenützten Scheune ab, zog mir wieder meine Jägerkleidung an, hängte meinen Anzug auf den Kleiderbügel, warf mir die Skier über die Schultern, nahm in eine Hand mein Gewehr, in die andere meine Schneereifen und sah mich um, ob ich auch keine Spuren hinterlassen hatte, die auf meinen kurzen Besuch deuteten. Ich konnte nichts entdecken.

Draußen schnallte ich mir die Schneereifen um, weil ich nicht die

Straße benützen wollte. Ich ging die Böschung am Fluß entlang, wo mich von der Straße aus niemand sehen konnte. Hinter der Kreuzung nach Howe überquerte ich die Straße und ging über zwei Felder in Richtung der Berge.

Es dunkelte schon, als ich die Hütte erreichte. Auf dem gesamten Rückweg war ich keinem Menschen begegnet.

In der Nacht schneite es. So wurden sogar meine Fußspuren verwischt.

Ich blieb zwei volle Wochen auf dem Saurücken, dann packte ich meine Felle zusammen und brachte sie in der ersten Dezemberwoche ins Dorf. Es war Freitagnachmittag, als ich im Hausboot eintraf. Pa war daheim.

Es dauerte eine Zeit, ehe sich ein Gespräch zwischen uns anspann. Zuerst mußte Pa sämtliche Häute begutachten und errechnen, welchen Preis sie erzielen würden. Dann mußte ich baden und mich umziehen. Endlich aber saßen wir Kaffee trinkend in der Kombüse.

»Was Neues aus der Zeit, da ich fort war?« fragte ich.

»Ja, Bill Skim ist von einem Vagabunden ermordet worden. Erwürgt. Skeeter Hawkins hat den Fall übernommen, aber er hat den Täter noch nicht gefaßt.«

»Ach«, sagte ich und wartete, daß er mir nun erzählen würde, daß Lily Bells Grab entdeckt worden sei.

»Lily Bell war zu dem Zeitpunkt des Mordes in der Stadt bei ihrer Schwester«, fuhr Pa fort. »Bill war schon seit zwei Tagen tot, als sie zurückkam und ihn fand. Das Vieh war übel dran. Es war schon seit achtundvierzig Stunden nicht mehr gefüttert worden und niemand hatte die Kühe gemolken. Man hätte meinen sollen, daß ihr Gebrüll jemandem aufgefallen wäre; aber keiner hat es gehört.«

Mich erfaßte Schwindel. Rechtzeitig unterdrückte ich den Ausruf: »Lebt Lily Bell denn?«

Ich verbrannte mir die Kehle mit dem heißen Kaffee und stand auf. Als ich mir die Galoschen anziehen wollte, fragte Pa: »Wohin gehst du?«

»Fort«, sagte ich kurz.

Auf dem Weg zu Skims Farm dachte ich angestrengt über die Zusammenhänge nach, und ich wußte schließlich Bescheid, als ich bei der Farm ankam. Daher war ich auch nicht sehr überrascht, als

mir Skeeter Hawkins öffnete. Er sah in seiner grauen Hilfssheriff-
uniform sehr gut aus.

»Komm 'rein«, sagte er herzlich. »Wir dachten uns schon, daß du
dich mal blicken lassen würdest.«

Lily Bell saß im Zimmer und hielt eine Teetasse in der Hand.
Eine zweite stand auf dem niedrigen Tisch vor dem Sofa.

»Hallo, Pete«, sagte sie lächelnd. »Skeeter kommt ab und zu auf
einen Sprung vorbei. Möchtest du eine Tasse Tee?«

»Nein, danke«, antwortete ich höflich. »Ich bin nur gekommen,
um mich davon zu überzeugen, daß du nicht tot bist.«

»Wie kommst du denn darauf?« fragte sie und runzelte die
Stirn.

»Laß die Scherze«, sagte ich. »Du hast mich zum Narren gemacht, aber du mußt es mir nicht noch extra unter die Nase
reiben.«

»Wovon redest du?«

»Von jenem Freitag, an dem du mich in der Hütte besucht hast«,
sagte ich. »Damals hat Bill dich zu deiner Schwester in die Stadt
gefahren. Du mußt Skeeter den Haustorschlüssel gegeben haben,
damit er alles vorbereiten konnte, während du und dein Mann
fort waren. Er hat prachtvolle Arbeit geleistet. Die Beweisstücke
waren genau richtig versteckt, um überzeugend zu wirken, aber
doch wieder nicht so gründlich verborgen, so daß ich sie ohne
große Mühe finden konnte. Die Sache mit den Haaren, die an
der Axt klebten, hat mir am besten gefallen. Ich nehme an, daß es
wirklich deine Haare gewesen sind; aber dein Blut war es jedenfalls nicht. Was war es denn? Hühnerblut?«

»Weißt du, wovon er redet, Liebling?« fragte Skeeter.

»Halt den Mund«, sagte ich zu ihm. »Nachdem Skeeter alles
nach Wunsch vorbereitet hatte, ist er in die Stadt gefahren, hat
dich abgeholt und zurück an den Fuß der Berge gebracht. Deshalb
hast du dich nicht von mir zur Straße begleiten lassen — und nicht,
um mir keine Mühe zu machen. Du wolltest bloß verhindern, daß
ich bemerke, daß du nicht in dem alten Lieferwagen gekommen
bist. Skeeter hat in seinem Wagen auf dich gewartet. Er hat dich zu
deiner Schwester zurückgebracht. So konnte kein Mensch bezeu-
gen, daß du die Stadt jemals verlassen hattest. Am nächsten Nachmittag ist Skeeter auf die Farm gekommen, nachdem ich fort war,
und hat sämtliche Beweisstücke wieder verschwinden lassen. Ihr
habt zwei Tage verstreichen lassen, damit du ein Alibi hattest.

Dann bist du aus der Stadt zurückgekommen und hast den toten Bill entdeckt. Hat er dich überhaupt jemals verprügelt?«

Sie lächelte mich an. »Eigentlich nicht. Er war kein grober Mensch, bloß langweilig. Das blaue Auge habe ich mir selbst beigebracht.«

Skeeter sagte: »Bill wurde von einem unbekannten Vagabunden erwürgt, Pete. Du willst doch nicht etwas anderes andeuten?«

Nachdem ich ihn eine Weile angestarrt hatte, drehte ich mich um und ging aus dem Haus.

Sechs Monate nach Bill Skims Begräbnis hatten Skeeter und Lily Bell geheiratet. Er hatte seine Stelle als Hilfssheriff niedergelegt und führte nun die Farm. Jetzt hatte Lily Bell alles, was sie sich wünschte: Sicherheit und einen Mann, den sie lieben konnte.

Mir tat am meisten weh, daß die beiden nicht im vorhinein wissen konnten, daß es mir glücken würde, zur Farm und wieder zurück in die Berge zu gelangen, ohne dabei gesehen zu werden. Sie mußten damit gerechnet haben, daß man mich ertappen und aufhängen würde. Skeeter war so nett, mich zu decken, aber erst, als feststand, daß mich niemand verdächtigte. Doch selbst das hatte ich nicht seiner Herzensgüte zu verdanken. Es wäre einfach für ihn und Lily Bell alles zu kompliziert geworden, wenn ich meine Geschichte erzählt hätte. Und ich konnte tatsächlich niemandem sagen, was sich wirklich zugetragen hatte, ohne daß ich mir selbst die Schlinge um den Hals gelegt hätte.

Flora und ihre Lieblinge

»Heute muß er sterben.«

Betrübt murmelte Flora das Urteil. Ihr dicker Körper in dem verschossenen alten Kimono bebte vor Kummer. Ihr tränennasses, teigiges Gesicht war eine starre Maske der Verzweiflung.

»Der arme Rani. Oh, Howard, ich werde ihn töten müssen.«

Er glotzte sie an. »Du, Flora?«

»Ja, glaubst du, ich könnte es einem anderen überlassen?«

Er kniff die Augen zu. »Ich weiß nicht. Das hätte ich dir nicht zugetraut, Flora. Daß du ein Lebewesen töten kannst, meine ich.«

»Aber Rani leidet, Howard, also begehe ich keinen Mord; ich gebe ihm nur den Gnadentod.«

»Klar, es ist ein Gnadentod.« Er sah sie an. Ihre Hände zitterten heftig. »Laß mich es lieber tun, Flora.«

»Nein!« Empört trat sie einen Schritt näher, und wie immer hatte er Angst vor ihr und wich zurück.

Ja, er fürchtete sich vor ihr. In Augenblicken wie diesem mußte er es sich eingestehen. Er fürchtete sich vor einer Frau und zwar vor seiner eigenen. So war es von Anfang an gewesen. Es gab keine Beschönigung — er war feige.

»Wie du meinst, Flora. Ich wollte dir bloß behilflich sein.«

»Daß du mir ja nicht wagst, Rani anzutasten! Komm ihm nicht zu nahe!«

»Schon recht, ich tu's nicht.«

Er faßte Rani nicht an, weil er vor ihr Angst hatte. Er haßte Rani, haßte ihn voller Inbrunst, wie er sämtliche Tiere Floras haßte, und Flora auch. Angst und Haß, das waren seine Gefühle.

»Wie wirst du ihn denn töten, Flora?« Er konnte seine Neugier nicht unterdrücken.

»Ich habe das Gift schon bereit.«

»Du hast Gift?«

Sie zog ein kleines Fläschchen hervor. Es war mit einer farblosen Flüssigkeit gefüllt.

»Mr. Grotweiler hat es mir auf ein Rezept von Dr. Mason gegeben. Es ist vollkommen geruch- und geschmacklos. Es wirkt beinahe sofort und verursacht kaum Schmerzen. Ein Tropfen genügt.«

»Aber du hast eine ganze Flasche davon.«

»Für Notfälle.«

Vielleicht wurde damals in seinem Gehirn jener Gedanke geboren oder zumindest der erste vage Entschluß gefaßt. Er sah, wie einfach es war. Ein furchtbarer Plan reifte langsam in ihm.

»Ich werde es unter Ranis Futter mischen«, sagte Flora. »Er wird es gar nicht merken.«

Plötzlich schwieg Flora entsetzt und schlug sich die Hand auf den Mund. »Meinst du, Rani hat mich gehört? Ich möchte nicht, daß er es merkt. Es wäre bedeutend leichter für ihn, wenn er es nicht vorzeitig wüßte.«

Ihre wasserblauen Augen blickten zur Seite. Rani blinzelte sie schief an. Der riesige graue Kater lag ausgestreckt auf dem mittleren Kissen des roten Samtsofas. Eine Schicht grauer Katzenhaare bedeckte den roten Samt. Das Sofa gehörte Rani und sonst niemandem. Der Kater hatte die Augen halb geschlossen. Es war kaum anzunehmen, daß er Floras Worte gehört hatte.

»Armes Tier. Schau ihn doch an. So tapfer. Er jammert kein bißchen.«

Nein, das Vieh jammerte nicht. Der Kater war krank, vermutlich kurz vor dem Abkratzen, das mußte Howard zugeben. Für gewöhnlich schlich er durchs Haus und beherrschte alle. Also mußte er jetzt krank sein.

»Geh jetzt, Howard. Ich möchte Ranis letzte Minuten ungestört mit ihm verbringen.«

Er verließ das Wohnzimmer und ließ die Doppeltür hinter sich behutsam einschnappen. Dann blieb er stehen und versuchte nachzudenken.

Aufgeregtes Geflatter erschreckte ihn. Ein grün-gelber Meteor zuckte an seinem Gesicht vorbei. »Hör auf!« zischte er so leise zwischen den Zähnen hindurch, daß Flora ihn nicht hören konnte. »Du verdammter Federball!«

Perikles, der Papagei, hockte auf einem Lampenschirm und sah ihn spöttisch an. Diese plötzlichen Sturzflüge machten ihm den größten Spaß, denn wenn er sie auch schon tausendmal gemacht hatte, so überrumpelte er Howard doch jedesmal erneut und brachte ihn zum Zittern. Jetzt saß der Papagei hochmütig auf dem Lampenschirm, weil er genau wußte, daß sein Opfer sich nicht an ihm rächen konnte.

»Ich drehe dir den Kragen um!«

Leider durfte er das nicht. Es war eine sinnlose Drohung. Wenn er könnte, wie er wollte, hätte er Perikles schon längst umgebracht. Jedes einzelne Vieh dieser verrückten Menagerie hätte er getötet.

Er brauchte frische Luft. Der drückende Gestank der vielen Tiere, der sich seit Jahren in diesem Haus festgesetzt hatte, erstickte ihn fast. Auf allem lag eine Schicht abgestoßener Haare und Federn, die den Staub und Dreck noch unerträglicher machten. Doch schlimmer noch war die ständige Anwesenheit irgendwelcher Tiere, die ihn anstarrten und beobachteten. An der Wand zum Beispiel standen Aquarien. Ihre Einwohner hatten bei seinem Erscheinen aufgehört, faul und ziellos herumzuschwimmen; sie glotzten ihn mit blöden Fischaugen an. Vor jedem Fenster hingen Käfige, aus denen ihn die Knopfaugen irgendwelcher Vögel betrachteten. Sie hatten sofort zu piepsen aufgehört, nur um ihn anzustarren — den wehrlosen Feind, als säße er im Käfig und nicht sie. Sie wußten, daß er nicht in ihre Nähe durfte, Flora erlaubte es ihm nicht. Und auch die nicht eingesperrten übrigen Tiere saßen herum und blickten allesamt, wie verabredet, auf ihn. Fritzie, der keifende kleine Dackel; Pickles, der bissige Terrier, der widerliche Pekinese Fan-Tan und noch eine Reihe von Katzen.

»Ich hasse euch!« schrie er in die Tiergesichter und eilte zur Haustür hinaus.

Wie meistens setzte Fan-Tan ihre Gefühle in Taten um. Howard hörte hinter sich das Trippeln ihrer kleinen Pfoten. Höchst unrühmlich begann er zu rennen, aber er war nicht schnell genug. Das rotbraune Hündchen holte ihn ein, sprang an seinem fliehenden Bein hoch und grub ihm die Zähne tief ins Fleisch.

Howard war klug genug, nicht aufzuschreien. Er schleppte die Hündin ein paar Schritte mit, dann gelang es ihm, sie abzuschütteln und die Gittertür zwischen sich und das Tier zu schieben. Er lief über die durchhängende Veranda, die Treppen hinunter und über den von Unkraut überwucherten Hof. Er holte nicht früher Luft, ehe er seinen Schlupfwinkel erreicht hatte: das windschiefe Haus, in dem in besseren Tagen einmal der Stall der Plantage untergebracht gewesen war.

Die Tiere hatten den Menschen aus seinem Haus verdrängt. Jetzt bewohnte der Mensch das Quartier der Tiere.

Howard trank Rum aus einer Flasche, die er im Stall versteckt hatte und dachte über seine mißliche Lage nach.

Warum hatte er Flora geheiratet? Oder hatte Flora ihn geheiratet? Irgendwann im Laufe der Trauung mußte er Ja gesagt haben. Doch was hatte er eigentlich bejaht?

Er war keine besondere Partie gewesen, und ehe Flora auftauchte, hatten viele Frauen es abgelehnt, ihn zu heiraten. Er hatte als Hilfskraft bei einem Tierarzt gearbeitet. Er war an Tieren interessiert gewesen, sozusagen. Auf diesem Wege hatten sich Flora und er gefunden. Und so war es zu ihrer Ehe gekommen. Er war bettelarm und sie nur in bescheidenem Maße reich gewesen. Ihr gehörte dieses Grundstück, das sie eine ›Plantage‹ nannte, mit dem großen alten Haus. Außerdem besaß sie Geld und Wertpapiere und einiges, was sie von ihrem Vater geerbt hatte. Sicherheitshalber hatte sie ihr Geld bei verschiedenen Banken in verschiedenen Städten angelegt.

»Du und ich«, hatte Flora gesagt, »wir beide werden ein schönes Leben haben. Du kannst mir bei der Pflege meiner Lieblinge helfen.«

Er hatte ihre sonderbare Menagerie gesehen und — na ja, seine Pflichten würden sich nicht wesentlich von seiner bisherigen Arbeit unterscheiden, hatte er gedacht. Die Sache hatte nur einen Schönheitsfehler gehabt: er mochte Tiere nicht gern. Als Hilfskraft eines Tierarztes war er keine Leuchte gewesen. Es war einfach ein Job für ihn gewesen. Ein Kanalgräber mußte ja schließlich die Kanäle, die er grub, auch nicht lieben.

Er war mit ihr verheiratet, vor dem Gesetz zumindest. In Wahrheit war sie nach wie vor mit ihrem Zoo verheiratet. Howard wurde einfach als ganztägiger Helfer etabliert. Für ihn blieb somit nach der Hochzeit der Job der gleiche. Nur hatte er einen neuen Chef bekommen.

Schlimm daran war, daß er den ganzen Tag von dieser Arbeit nicht loskam. Jetzt aß, schlief und lebte er mit den Tieren. Und zu alledem sollte er sie auch noch lieben.

Er fluchte leise vor sich hin und trank seinen Rum. Er war in Floras Haus gezogen, weil er selbst keines hatte. Es hatte ihm zwar nicht gefallen, aber er hatte gedacht, er könnte es vielleicht ein bißchen auf Glanz bringen und nach und nach das eine oder andere Tier loswerden. Weit gefehlt. Flora vergrößerte vielmehr ihre Sammlung ständig und gab niemals ein Tier weg. Sogar ein kleiner Junge, der sich aus Florida ein junges Krokodil bestellt hatte, das seine Mutter nicht im Haus duldete, hatte sein Vieh hierher gebracht, weil er wußte, daß er hier mit keiner Ablehnung rechnen mußte. Seitdem schwamm also auch noch ein Krokodil namens Alice oben in der Badewanne, der einzigen des Hauses. Wollte jemand baden, dann mußte er zuerst das achtzig Zentimeter lange Reptil entfernen und hinterher wieder in die Wanne legen. Für gewöhnlich zog Howard es vor, ohne Bad auszukommen.

Auch die Mahlzeiten waren ›Familienangelegenheiten‹, wie Flora es nannte. Ständig saß ihr eine Katze auf dem Schoß — wenn Rani eben in Stimmung war, nahm er diesen Platz ein —, die aus Floras Teller jedes Stückchen fischte, das dem Katzengeschmack entsprach. Hochmütig und fordernd streiften die Hunde um den Tisch. Bei dem ständigen Gekläff war natürlich jedes Tischgespräch unmöglich. Die Hündin Fan-Tan zeichnete boshafterweise gerade ihn mit ihrer Aufmerksamkeit aus. Ignorierte er sie zu lange, kniff sie ihn in den Knöchel; wenn er sich bückte, um ihr einen Brocken zuzuschieben, mußte er die Finger ganz flink zurückziehen, sonst fraß sie die auch noch gleich mit.

»Sie ist dein liebes Hundchen, Howard«, sagte Flora bei solchen Gelegenheiten und zog ein eifersüchtiges Schmollmündchen.

Das Viehzeug in den Käfigen war nicht ganz so lästig. Allerdings mußte Howard die Käfige säubern und das war eine höchst unerfreuliche Arbeit. Flora hatte dazu nie Zeit. Vielleicht hatte sie ihn nur geheiratet, damit ihr jemand diese ganzen Arbeiten abnahm.

Die tiefste Demütigung aber bereitete ihm dieser verbrecherische Rani. Howard liebte seinen Rum. Nur er machte ihm das Leben halbwegs erträglich. Aber Rani, der den Geruch der versteckten Flasche anzog, entwickelte ebenfalls einen Hang zum Rum. Zuerst hatte Flora darauf bestanden, daß dieses Zeug ihr nicht ins Haus dürfe. Als jedoch Rani kläglich zu miauen begann, wurde sie schwach. Howard durfte auch weiterhin seinen Rum behalten, wenn er Rani ab und zu einen Fingerhut voll davon abgab. Rani entpuppte sich jedoch als passionierter Säufer. Er schlich sich an die Flasche und leckte solange am Flaschenhals und am Korken, bis Howard davon ganz übel wurde, und er manchmal tagelang keinen Tropfen mehr trank, weil er es nicht über sich brachte, diese unappetitliche Flasche anzurühren. Vielleicht, dachte er jetzt mit einer gewissen Genugtuung, hat Rani sich zu Tode gesoffen.

Warum war er nicht schon längst abgehauen? Diese Frage hatte er sich schon millionenmal gestellt und jetzt tat er es wieder. Warum ließ er sich das bieten?

Hoffnung? Das mußte es wohl sein. Hoffnung und angeborene Ausdauer. Er wollte sich nicht eingestehen, daß ein Haufen Tiere über ihn triumphierte. Er ließ sich von ihnen nicht um sein Erbe prellen. Und er hatte die Absicht zu erben; denn Flora war zwanzig Jahre älter. Früher oder später mußte sie sich eine Krankheit von den vielen Bazillen auf den unappetitlichen Tellern holen. Dann war er reich. Dann! Warum nicht gleich?

Howard nahm noch einen Schluck Rum und dachte an die andere Flasche, die Flora ihm gezeigt hatte. Vollkommen geschmack- und geruchlos — wirkt beinahe sofort — ein Tropfen genügt — und es war eine volle Flasche vorhanden.

Floras gellender Schrei ließ ihn zum Haus zurückrennen. Sie stand auf der Veranda und schlug wild mit den Armen um sich. Sie kreischte noch immer, als er die Veranda erreichte.

»Er ist tot!« wimmerte sie. »Rani ist tot!«

»Genau das hast du doch bezweckt, oder nicht?«

Aber von einer derart einfachen Überlegung ließ sie sich nicht trösten. »Er hat nicht sterben wollen. Er wußte, was ich vorhatte, aber er hat nicht verstanden, warum. Er schien mir nicht zu trauen. Und als er endlich begriffen hatte, was ich getan hatte, da sah er mich so entsetzlich vorwurfsvoll an. Ach, Howard, nie werde ich diesen Blick vergessen. Ich habe versucht, es ihm zu erklären, aber er hat ständig den Kopf geschüttelt. Howard, er ist mit dem Gedanken gestorben, daß ich ihn verraten habe.«

»Das dürfen wir natürlich nicht zulassen, Flora, wie?«

»Tiere sind ja so klug, Howard. Sie wissen, wer es gut mit ihnen meint. Aber daß ich ihm den Gnadentod gegeben habe, das konnte Rani doch nicht begreifen.«

»Dann darfst du so etwas nie wieder tun, Flora. Das heißt, du darfst es nicht selbst tun. Ich werde es übernehmen. Mir gegenüber empfinden die Tiere nicht so stark wie dir gegenüber, deshalb werden sie weniger enttäuscht sein.«

Sie starrte ihn aus geröteten Augen an. »Vielleicht hast du recht.«

»Natürlich hab' ich recht, liebe Flora. Gib du mir nur die Flasche. Wenn es wieder einmal so weit ist, werde ich . . .«

Sie vertraute ihm die Flasche an und er versteckte sie im Stall. Dann schreinerte er aus zwei neuen Brettern einen Sarg für Rani.

Die Arbeit ging ihm flott von der Hand. Als er Flora das Ergebnis seiner Anstrengungen zeigte, war sie sehr zufrieden. Dann trug er einen Spaten zum alten Friedhof, der zwischen dem vernachlässigten Obstgarten und der alten Weinlaube lag. Dieser Friedhof war die einzige gepflegte Stelle der ganzen Plantage. Flora hatte befohlen, daß er gedüngt, gejätet und gemäht werden müßte. Soweit Howard wußte, lagen bereits zwei Kanarienvögel, viele Mäuse — von denen Rani selbst mehr als eine ins Jenseits befördert hatte — und ein Affe dort. Howard hob ein rechteckiges, etwa neunzig Zentimeter tiefes Grab aus. Als er fertig war, holte er Flora.

Sie versuchte, einige ihrer Tiere zu bewegen, dem Begräbnis beizuwohnen; aber Rani war kein sehr beliebtes Mitglied der Hausgemeinde gewesen. Perikles und Fan-Tan gingen ohnehin nie aus dem Haus und machten auch jetzt keine Ausnahme. Pickles, der Terrier, kam aus angeborener Neugierde mit, und weil er einen Kadaver witterte. Flora holte noch zwei ihrer weißen Mäuse als Art Gefolge. Howard dachte schon, sie wollte die Nager mit in den Sarg legen und damit Rani so etwas wie ein Pharaonenbegräbnis bereiten. Falls sie die Absicht gehabt hatte, wurde sie jedenfalls im letzten Augenblick schwach; die Mäuse entgingen ihrem Schicksal.

Es war eine sehr eindrucksvolle Zeremonie. Howard trug den Sarg, stellte ihn in die Grube und schaufelte Erde darauf. Das war für Flora der Anstoß, in hysterisches Weinen auszubrechen, sich zu Boden zu werfen und die Erde wieder wegzuscharren. Schließlich begnügte sie sich damit, wie verrückt durch die angrenzenden Felder zu rennen. Sie kehrte mit einem Armvoll Wiesenblumen zurück, die sie über das Grab streute. Die Sonne ging bereits unter, als sie endlich mit dem Schluchzen aufhörte und sich ins Haus zurückführen ließ.

»Man muß weiterleben«, sagte sie zu Howard.

Das ist nicht unbedingt notwendig, Flora, dachte er bei sich. Und schon gar nicht, wenn das Leben derart schmerzensreich ist. Für solche Zwecke ist das Zeug in der Flasche doch bestimmt, hast du das nicht selbst gesagt? Um die Schmerzen zu stillen. Sollte ich dir einen Liebesdienst verweigern, den du Rani erwiesen hast, Flora?

»Zeit zum Abendessen«, verkündete er erwartungsvoll.

»Ach, ich brächte keinen Bissen hinunter«, ächzte Flora.

»Du mußt dich bei Kräften halten, meine Liebe.« Sie war so kräftig wie ein Ochse und bedeutend fetter, als ihr gut tat. Aber er drängte sie dennoch zum Essen. »Vergiß nicht, daß du noch andere Pflichten hast. Gegenüber deinen anderen Tieren. Du darfst sie nicht vernachlässigen. Das wäre Rani gar nicht recht, das weiß ich genau.«

Sie blickte ihn aus hervorquellenden, geröteten Augen an, in denen schon wieder die Tränen schimmerten. »Mir steckt ein Klumpen im Hals, Howard. Ich kann einfach nicht schlucken.«

Für den Augenblick mußte er sich geschlagen geben, aber er wußte, daß er nicht zu lange zögern durfte. Es kam auf den richtigen Zeitpunkt an, wenn er später ihren Tod glaubhaft machen wollte.

Flora war untröstlich. Als die Tiere sahen, daß sie den Kopf hängen ließ, wurden sie ebenfalls trübselig. Das Gezirpe in den Käfigen verstummte. Fan-Tan hörte zu kläffen auf, rollte sich in ein Kissen ein und sah Flora unverwandt an. Perikles saß auf seiner Stange und gab keinen Laut von sich. Eine erlösende Stille setzte ein. Howard wünschte unwillkürlich, daß sie öfters Begräbnisse haben sollten.

Flora ging zu Bett, ohne etwas gegessen zu haben. Stundenlang warf sie sich ruhelos hin und her, aber dann schlief sie schließlich doch ein.

Sie erwachte erst am späten Vormittag.

»Was darf ich dir bringen, Flora?« war das erste, was Howard sagte.

»Zwei Aspirin«, antwortete sie.

»Mit Orangensaft? Möchtest du Orangensaft haben, Flora?«

»Ich werde versuchen, ihn zu trinken.«

Hastig rannte er in die Küche, öffnete eine Dose mit Orangensaft, und goß den Inhalt in ein Glas, in dem ein Eiswürfel lag. Dann schüttelte er einen herzhaften Schluck aus Mr. Grotweilers Flasche in das Getränk und rührte um. Wie es schmeckte, konnte er natürlich nicht sagen, aber das Gebräu roch nur nach Orangensaft. Was die angeblichen Eigenschaften des Gifts anbelangte, so mußte er sich auf Mr. Grotweiler verlassen. E wischte seine Fingerabdrücke vom Glas, wickelte eine Papierserviette darum und trug es zu Flora.

»Was bist du doch für ein lieber Mensch, Howard«, sagte sie.

Durstig trank sie den Orangensaft, der ihr sichtlich schmeckte.

Dann legte sie sich zurück und lächelte selig. Dieser Zustand dauerte vielleicht eine Minute oder noch weniger. Ungläubiges Staunen zeigte sich auf ihrem Gesicht. Sie sah Howard fragend an und schloß friedlich die Augen.

»Lebwohl, Flora«, sagte er.

Sie antwortete nicht.

Jetzt verlor er keine Zeit mehr. Die Zooinsassen warteten auf ihr Futter. Mr. Grotweilers Wunderelexier mußte ins Hundefutter, Katzenfutter, Mäusefutter, Rattenfutter, Hamsterfutter, Fischfutter und Papageienfutter gemischt werden. Er tat es geschickt und flink.

»Eßt nur tüchtig, meine Lieblinge«, lockte er, als er die behandelten Bissen verteilte.

Im Badezimmer kaute Alice, das Krokodil, an einem präparierten Beefsteak, während die Fische im Aquarium an die Wasseroberfläche schnellten, um von ihren kleinen weißen Flocken zu fressen. Für alle Fälle goß Howard noch gleich etwas von dem Gift direkt ins Wasser. Die Nagetiere rauften richtig um ihr Futter. Howard mußte den Schiedsrichter spielen, damit ja jeder etwas abbekam. Die Katzen verzehrten ihr Mahl anmutig und hoheitsvoll. Fritzie und Pickles machten keine Schwierigkeiten. Fan-Tan zeigte sich bedrückt und lustlos; er begriff nicht, weshalb Flora nicht aufstand und ihr den Hof machte, aber schließlich siegte doch der Hunger. Perikles schielte schräg und mißtrauisch mit einem Auge auf die giftgetränkten Körner; aber er war nicht halb so schlau, wie Flora immer angenommen hatte. Er pickte mehrmals in sein Futter und das genügte bereits.

Howard war sehr umsichtig. Er wollte ganz sicher sein, daß er keinen vergessen hatte. Schließlich waren alle versorgt.

Die Fische wurden an die Wasseroberfläche getrieben. Die Nagetiere kreischten schrill, rannten in ihren Käfigen hin und her und fielen nacheinander um. Die Katzen miauten ein paarmal, machten einen Buckel und brachen zusammen. Fritzie bellte, Pickles knurrte und Fan-Tan kläffte ein letztesmal. Schließlich war es still. Nur Perikles lebte noch; er war am zähesten. Er schwankte auf seiner Sprosse und betrachtete das Gemetzel mit zynischem Blick; er schloß zuerst ein Auge, dann das andere, verlor darauf das Gleichgewicht und kippte endlich vornüber. Seine Krallen klammerten sich noch eine Weile an die runde Sprosse, so daß er mit dem Kopf nach unten hing und sanft wie ein Pendel hin und herschwang. Es dauerte länger als eine Minute, ehe er losließ. Er fiel mit einem leisen Plumps, der durch sein Gefieder gedämpft wurde, zu Boden.

Howard sah im Badezimmer nach. Alice schwamm mit dem Bauch nach oben in der Wanne.

Er war allein im Haus.

Sheriff Crandall war sichtlich bewegt, aber auch nicht minder verwirrt, als er dieses Bild des Todes betrachtete. »Nein, so etwas, nein, so etwas«, war alles, was er herausbrachte. »Nein, so etwas . . .«

»Sie sind alle tot«, sagte Howard gebrochen. »Jedes einzelne kleine Fischlein in den Aquarien, jedes Tierchen in den Käfigen. Und Flora . . .«

»Sie sagen, daß sie diese Giftflasche hatte?«

»Ein Tropfen davon genügt schon, Sheriff, um diese kleinen Tierherzen zum Stillstand zu bringen.«

»Und Sie sagen, es hätte mit der Katze begonnen?«

»Ja, Sheriff. Rani war natürlich ihr Liebling. Wenn Sie wollen, zeige ich Ihnen das frische Grab und grabe den Sarg aus.«

»Nein, Howard, das ist nicht nötig.«

»Sie schien es einfach nicht überwinden zu können. Sie schleppte sich zu Ranis Grab und schmückte es mit Blumen. Sie wissen ja, wie tierliebend Flora gewesen ist.«

»Ja, das hat wohl jeder hier gewußt.«

»Schließlich konnte ich sie mit Mühe ins Haus zurückbringen, aber es ist mir nicht gelungen, sie ein bißchen aufzuheitern. Ich hätte es wohl ahnen müssen.«

»Jetzt machen Sie sich keine Vorwürfe, Howard. Manchen Dingen stehen wir eben machtlos gegenüber.«

»Sie wissen ja, daß Flora und ihre Tiere eine einzige Familie bildeten. Sie wollte diese Familie immer beisammenhalten. Wahrscheinlich hat der Schmerz ihr den Verstand geraubt. Zuerst hat sie sämtliche Tiere vergiftet und schließlich sich selbst. Damit, wie gesagt, die Familie nicht auseinander gerissen würde.«

Sheriff Crandall blinzelte unter seinen struppigen Brauen hervor und kratzte sich den Schädel. »Wieso hat sie eigentlich Sie nicht auch mitgenommen, Howard?«

Howard schüttelte den Kopf. »Ich weiß es nicht, Sheriff. Das beweist wohl nur, wie wenig ich Flora bedeutet habe. Sie und ihre

Lieblinge waren sozusagen Blutsverwandte. Ich war bloß angeheiratet.«

»Ich weiß, wie Ihnen zumute ist, Howard. Manchmal zählt ein Ehemann gar nicht.«

Gemeinsam gingen sie zur Veranda. Es war ein schöner Tag; es wurde bereits warm.

»Sheriff«, fragte Howard, »brauchen Sie die Toten für eine Obduktion, oder kann ich schon den Bestatter anrufen?«

»Ach, ich meine, es liegt kein Grund für eine Obduktion vor.«

»Dann ist da noch etwas. Jeder weiß, daß Flora es in ihrem Testament so bestimmt hat. Sie wollte hier auf ihrem Grundstück, auf unserem eigenen kleinen Privatfriedhof begraben werden.«

»Soviel ich weiß, ist das nicht verboten, Howard.«

»Und die Tiere gehören auch hierher.«

»Auch dagegen ist nichts einzuwenden.«

Sheriff Crandall war erleichtert, den Besuch hinter sich zu haben, und fuhr in seinem staubigen Auto davon. Er hatte Howard keinerlei Schwierigkeiten gemacht, nicht die geringsten.

Howard rief Mr. Murdoch, den Leichenbestatter, an und gab ihm die nötigen Anweisungen. Er bestellte einen schlichten, schmucklosen Sarg für Flora. Um die Tiere würde er sich selbst kümmern. Eine Gruft war nicht nötig. Auf diese Weise konnte er Geld sparen. Das war wichtig. Denn von nun an gehörte das Geld ja ihm.

Er hatte Lust zu einer kleinen Feier. Hinter den Büchern im Hinterzimmer hatte er eine Flasche Rum versteckt. Er trug sie in die Küche und schenkte sich ein Glas ein.

Als die ersten zwei Schlucke in seinen Eingeweiden gelandet waren, erlebte er ein sonderbares Gefühl. Ihm wurde schwindlig, sein Kopf wurde leicht und grauer Nebel umfing ihn.

Und plötzlich durchzuckte ihn die grauenvolle Erkenntnis: Rani hatte gewußt, was Flora mit ihm vorhatte, nämlich daß sie ihn vergiften wollte. Darum hatte Rani weder das Futter noch die Milch angerührt. Da hatte Flora ihn mit seiner Schwäche für Rum überlistet — sie hatte die Flasche in der Nähe stehen lassen, damit er heimlich den Kork und den nassen Flaschenhals ablecken konnte. Leider hatte sie die ganze Flasche vergiftet.

»Der arme, gute Howard«, sagte Sheriff Crandall. »Wir haben noch darüber gesprochen. Er hat sich übergangen gefühlt. Flora war tot und hatte ihn zurückgelassen. Sämtliche Tiere waren tot. Er war vollkommen allein. Wahrscheinlich konnte er diese Einsamkeit nicht ertragen, deshalb ist er der übrigen Familie gefolgt.«

»Verstehe«, sagte Mr. Murdoch, der Leichenbestatter.

»Ich meine, wir sollten sie alle gemeinsam hier auf ihrem kleinen Privatfriedhof begraben.«

»Natürlich«, sagte Mr. Murdoch.

»Ach Howard, du lieber Mensch«, sagte Flora, »du hast uns so gefehlt, auch wenn du uns nicht lange hast warten lassen.«

Ein grün-gelber Meteor huschte an seinem Gesicht vorbei; beim Anblick der schwirrenden Papageienflügel lief ihm ein kalter Schauer über den Rücken. Er hörte es in der Badewanne spritzen. Bestimmt schlug das Krokodil mit dem Schwanz um sich. Aus riesigen Glasbehältern glotzten ihn Fischaugen an. Dutzende von Nagetieren piepsten zu seiner Begrüßung. Katzen schlichen vorbei. Ein Dackel und ein Terrier knurrten ihn bedrohlich an und ein kleiner Pekinese biß mit seinen nadelspitzen Zähnen in Howards Knöchel. Und auch Rani hockte da, der selbstherrliche Kater. Er leckte den Hals und den Stöpsel seiner Rumflasche ab und grinste betrunken und verächtlich.

Howard schrie auf und drehte sich um. Er wollte fliehen, aber es gab keine Tür. Er schrie noch lauter. Er wußte, daß draußen Menschen waren, aber sein Schrei wurde vom Geräusch herabfallender Erdschollen erstickt, die ihn begruben.

Mütterchen bleibt hier

Die Mutter meiner Frau — sie läßt sich von mir gern Mutter Harnisch nennen — wohnt jetzt schon seit einigen Wochen bei uns. Und da sie eben nach ihrem Überseekoffer geschickt hat, hat es den Anschein, als wolle sie noch eine Weile bleiben. Ich habe wirklich nichts dagegen. Ehrlich, ich möchte um nichts in der Welt, daß sie uns verläßt. Aber ich gebe zu, daß ich anfangs nicht sehr glücklich über ihre Anwesenheit war.

Tatsache ist, daß Mutter Harnisch für ihren Besuch einen sehr unseligen Zeitpunkt gewählt hat. An dem Nachmittag, an dem sie eintraf, hatte die kleine Modewarenfirma, an der ich beteiligt war, ihren größten Auftrag verloren. Mein Partner, Herb Baloff, hatte mir gesagt, er dächte daran, seine Teilhaberschaft niederzulegen. Ich hatte zuviel in die Firma investiert, um einen solchen Gedanken auch nur erwägen zu können. So machte ich mir auf der Heimfahrt Sorgen über Herbs Entschluß und kam zornig und übellaunig nach Hause.

Doris war in der Küche, aber ich beachtete sie gar nicht, sondern ging sofort ins Zimmer und goß mir zur Stärkung einen doppelten Whisky ein. Verdrossen schaltete ich den Fernsehapparat an, um die neuesten Nachrichten über die Weltlage zu erfahren. Ich ging zu meinem Lieblingssessel, aber der war besetzt. Mutter Harnisch saß darin und schlief.

Es war das erstemal seit unserer Hochzeit, die drei Jahre zurücklag, daß ich sie wiedersah. Soviel mir bekannt war, lebte sie in schönster Eintracht bei meinem Schwager Phil und seiner Frau Barbara. Ich war überrascht, sie so plötzlich in meinem Zimmer vorzufinden. Ich musterte sie kritisch. Sie glich nicht dem gewohnten Bild auf den Muttertagskarten. Sie ähnelte eher einem Eichhörnchen. Über ihr Gesicht zog sich ein dichtes Faltennetz. Ihre Nase war flach und rund. Das Haar war struppig, bläulichweiß und gekräuselt, dank einer starken Dauerwelle; es sah wie eine Perücke aus. Mir war bisher noch nie aufgefallen, daß sie so klein war; ihr Kopf ragte kaum über die Rückenlehne des Sessels.

Die Stimme des Nachrichtensprechers weckte sie. Mit ihren grauen Augen sah sie überrascht zu mir auf: »Oh, Louis!«

»Hallo, Mutter Harnisch«, sagte ich. Sie hielt mir die Wange hin, die ich flüchtig berührte. Dabei stieg mir ihr schweres Veilchenparfüm in die Nase. »Du hast die lange Reise von Phil und Barbara auf dich genommen, um uns für einen Tag zu besuchen?« fragte ich optimistisch.

»Du liebe Zeit, nein! Die beiden wohnen doch mehr als dreihundert Meilen von hier! Ich bin sieben Stunden mit dem Bus gefahren.« Sie strich sich das unförmige Kleid glatt. »Doris hat mich eingeladen, ein Weilchen bei euch zu bleiben«, sagte sie lächelnd. »Barbara ist krank, das arme Kind. Sie war nie ein sehr gesundes Mädchen, mußt du wissen. Davor habe ich Philip schon vor zwölf Jahren gewarnt, aber er wollte ja nicht auf mich hören. Jedenfalls habe ich mich bei ihnen nie richtig zu Hause gefühlt. Ich weiß, es ist schrecklich, so etwas vom Haus des eigenen Sohnes zu sagen, aber es stimmt. Philip hat sich in den letzten Jahren auch stark verändert, das muß ich schon sagen. Und Barbara — tja, ich fürchte, die wird immer eine Fremde für mich bleiben. Manchmal habe ich das Gefühl, du und Doris, ihr beiden seid meine wahren Kinder«, schloß sie und lächelte herzlich.

Ich lächelte mühsam zurück, hob mein Glas — doch da fiel mir meine gute Erziehung wieder ein. »Darf ich dir etwas zu trinken anbieten?«

»Oh, nein. Und ich kann nur hoffen, daß du keinen Alkohol trinkst.« Sie sah streng auf mein Whiskyglas. »Das solltest du wirklich nicht, Louis. Alkohol ist ein Teufelsgebräu. Mein armer Albert wäre beinahe daran gestorben.«

»Nur ein Gläschen vor dem Abendessen..« Ich grinste und trank rasch aus.

Doris kam ins Zimmer. »Hi«, sagte sie. »Ist das nicht nett, daß Mutter ein Weilchen bei uns bleiben will? Ich habe ganz vergessen, dir zu sagen, daß ich sie eingeladen hatte.«

»Kommt mir auch so vor«, sagte ich.

Beim Abendessen drehte sich das Gespräch hauptsächlich um Mutter Harnischs Gesundheit.

»Der Doktor sagt, mir fehlt gar nichts«, vertraute sie uns an, »aber ich weiß es besser. Meine Leber ist es, davon laß ich mich nicht abbringen. Deshalb habe ich mir von ihm eine salzfreie Diät verschreiben lassen und die hat Wunder gewirkt. Jetzt ertrage ich es nicht einmal mehr, Salz auf dem Tisch zu sehen.«

Ich griff eben nach dem Streuer, um meinen Salat zu würzen, aber Mutter Harnisch riß ihn aus meiner Hand und schob ihn in ihre Tasche. »Nein«, sagte sie energisch. »Versuch es einmal ohne Salz. Das ist viel gesünder.«

Ich kostete den Salat ungesalzen. Er schmeckte mir absolut nicht.

»Du wirst dich daran gewöhnen«, versicherte Mutter Harnisch. »Und dich obendrein bedeutend wohler fühlen.«

Ich fühlte mich nach dem Abendessen keinesfalls wohler. Herbs Absicht, aus dem Geschäft auszusteigen, verfolgte mich. Ich hätte gern bei einigen Gläschen Zuflucht gesucht und mir ein überzeugendes Gegenargument einfallen lassen. Doch während ich Doris beim Tischabräumen half, hatte Mutter Harnisch meinen Lieblingssessel hinterlistig vor die Bar geschoben und sah sich von diesem Platz aus die Sendung ›Großmutter weiß alles‹ an.

»Ich weiß genau, was du jetzt denkst, Louis«, sagte sie schalkhaft. »Aber versuche einmal, ohne Alkohol auszukommen. Kein Mensch hat dadurch ein hohes Alter erreicht, daß er jede Minute etwas getrunken hat.«

Ich nickte verbittert, ließ mich in einen der modernen Schalenstühle sinken, in denen sich nur ein Schlangenmensch wohlfühlen konnte, und nahm mir eine Zigarre.

»Leg die nur ganz schnell wieder weg«, befahl Mutter Harnisch. »Es gibt auf der ganzen Welt nichts Schädlicheres für dich, und zudem kann ich den Geruch überhaupt nicht vertragen. Wenn nur irgendwo im Haus eine Zigarre brennt, saugen meine Lungen den Rauch auf und ich huste und huste. Also leg sie weg.«

Ich legte die Zigarre zurück und versank für die nächste halbe Stunde in ein mißmutiges Grübeln. Dann wand ich mich aus dem Schalenstuhl empor, um das Fernsehprogramm auf meinen Lieblingswestern umzustellen.

»Nicht!« quietschte Mutter Harnisch. »Jetzt läuft das ›Star-Rendezvous‹ und das versäume ich nie. Heute besucht das Fernsehen Gilbert X. Everest. Ihr Kinder könnt euch natürlich nicht mehr an ihn erinnern, aber als ich noch ein Mädchen war ...«

Auf den Besuch bei Gilbert X. Everest folgte die Darbietung einer Laienbühne, und dann kamen zwei von Mutter Harnischs heißgeliebten dramatisierten Kurzgeschichten an die Reihe. Schließlich war sie müde. Da sie im Wohnzimmer schlief, verwandelte ich die Couch für sie in ein Bett. Doris und ich wünschten ihr eine gute Nacht und zogen uns in unser Schlafzimmer zurück.

Ich bin nicht schwer von Begriff und ahnte, daß uns noch einiges bevorstehen würde.

»Okay«, sagte ich zu Doris. »Wie lange?«

Sie hob die Schultern und zog die Nadeln aus ihrem Haar. »Als ich heute nachmittag die Tür geöffnet habe, stand sie draußen. Sie kann sonst wirklich nirgends hingehen, Lou. Nach allem, was sie mir erzählt hat, war Barbara sehr unfreundlich zu ihr. Das war der eigentliche Grund, weshalb sie von dort abgereist ist.«

»Manchmal muß ich Barbaras gesunden Menschenverstand wirklich bewundern«, sagte ich. »Du weißt nicht zufällig genau, was sie getan hat, daß deine Mutter ihre Koffer packte und ausgezogen ist, wie?«

Doris sah mich mit beredtem Blick an. »Sie will doch nur behilflich sein, Lou. Und sie hat dich wirklich gern. Das hat sie mir unzählige Male gesagt. Nach einigen Tagen wird sich ihr Eifer legen, davon bin ich überzeugt.«

Wie schon so oft, irrte Doris auch diesmal. Als ich am nächsten Abend heimkam, stand eines von Mutter Harnisch eigenhändig zubereiteten Menüs auf dem Tisch. Es sah aus wie gebackenes Moos und schmeckte auch so.

»Eierfrüchte«, klärte Mutter Harnisch mich auf. »Sehr gesund für dich. Ich habe ein Rezeptbuch mit über tausend Mahlzeiten ohne Fleisch und Gewürze. Das reicht für die Abendessen von beinahe drei Jahren«, sagte sie lächelnd. »Ich bin sicher, du wirst darunter Hunderte finden, die dir schmecken, Louis.«

»Im Augenblick möchte ich jedenfalls eine Tasse Kaffee«, sagte ich.

»Mutter hat mir gesagt, Tee sei viel bekömmlicher als Kaffee«, sagte Doris. »Deshalb dachte ich, wir könnten es ja ein Weilchen damit versuchen.« Sie sah meinen Blick. »Also schaden wird er uns bestimmt nicht.«

»Es ist eine ganz spezielle Teeart«, belehrte Mutter Harnisch mich. »Sie stammt aus Indien. Vielleicht erscheint sie dir am

Anfang sehr bitter, aber wenn du dich erst daran gewöhnt hast, wirst du nie wieder etwas anderes trinken wollen.«

Sie hatte nicht gelogen. Ich nahm einen Schluck von diesem Gebräu und schob die Tasse von mir. »Na, dann will ich dir helfen, den Tisch abzuräumen«, sagte ich zu Doris und stand auf. »Es ist schon fast sieben und die Bowmans erwarten uns um halb acht.«

»Ich habe ihnen abgesagt«, sagte Doris.

»Ach?« meinte ich nur. Ich trug einen Stoß Teller, aber ich gab Doris einen Wink mit den Augen, mit mir in die Küche zu kommen. Sobald die Tür hinter uns geschlossen war, fragte ich ruhig: »Warum hast du unser Bridge abgeblasen?«

»Wir können nicht einfach fortgehen und Mutter allein lassen.«

»Dann sollen die Bowmans eben zu uns kommen.«

»Und wir vier werden Karten spielen und Mutter wird daneben sitzen und sich überflüssig vorkommen? Wirklich, Lou, ich muß schon sagen!«

»Sie kann unsere Punkte notieren.«

Doris schüttelte den Kopf.

»Also gut, dann schick sie in ein Kino.« Ich griff nach meiner Brieftasche. »Bitte sehr, ich gebe ihr sogar noch etwas mehr für eine Tüte ungesalzenes Popcorn.«

Doris hörte nicht auf, den Kopf zu schütteln. »Sie mag keine Kinos. Sie sagt, unter so vielen Menschen bekommt sie Beklemmungen.«

Im Laufe des Abends entdeckte ich, daß Mutter Harnisch auch Bonbons verabscheute.

Am nächsten Abend bestand unser Essen aus gekochtem Lattich, Käse und Schnittlauch. Wir tranken unsern indischen Tee und sahen uns dabei ›Austin Weems Walzerstunde‹, zwei Seifenopern und eine Sendung über die Probleme alter Menschen an. Mutter Harnisch fand, daß wir sie nicht versäumen dürften.

»Das muß aufhören«, sagte ich Doris, als wir im Bett lagen. »Besonders diese Abendessen. Du darfst sie nicht in die Küche lassen.«

»Aber sie hat den ganzen Tag doch keine andere Zerstreuung als das Kochen und das Fernsehen. Was soll ich denn mit ihr tun?«

»Warum machst du sie nicht mit ein paar alten Leuten aus

der Umgebung bekannt? Sie könnten einen Mäßigkeitsverein gründen.«

»Ich habe sie heute nachmittag zu Mrs. Fabell und Mrs. Zworkin geführt, aber ich glaube, sie machten sich nichts aus Mutter.«

»Das kann ich verstehen.«

»Sei nicht gemein, Lou.«

Wäre sonst alles gut gegangen, hätte ich vielleicht nicht gemein werden müssen. Nach der ersten Woche kam ich meinen häuslichen Entbehrungen anderweitig entgegen. Ich rauchte im Büro doppelt soviel und hatte ständig eine Tüte Bonbons in der Tasche. Doris sagte ich, daß ich Überstunden machen mußte, damit ich in einem Restaurant ein anständiges Abendessen zu mir nehmen konnte. Spät kehrte ich angeheitert heim, nachdem ich mir meine Wildwestfilme in einer Bar angesehen hatte. Aber die Geschäfte gingen weiterhin schlecht und Herb sprach immer häufiger davon, daß er seinen Anteil verkaufen wolle. Um ihn umzustimmen, lud ich ihn zum Abendessen und einem freundschaftlichen Gespräch zu uns nach Hause ein.

Natürlich hatte ich Doris vorher informiert, und es gab echten Whisky vor dem Essen, eine vernünftige Mahlzeit, und anschließend echten Kaffee. Mutter Harnisch saß gekränkt am Tischende. Sie sah wie ein zusammengeschnürtes kleines Wäschebündel aus.

»Wie wäre es, wenn wir Pauling entließen, und ich den gesamten Verkauf selbst übernähme?« fragte ich Herb beim Cognac. »Wärst du dann eher bereit zu bleiben?«

»Das wäre eine große Mehrbelastung für dich«, sagte er.

Zum erstenmal zeigte er Interesse. Ich klammerte mich an diesen Strohhalm und versuchte meine Gelegenheit zu nützen. »Das würde mich nicht stören. Ich würde ...«

»Es ist sehr hartherzig, jemanden zu entlassen«, ließ Mutter Harnisch sich plötzlich vernehmen. »Du hast gesagt, daß er nichts dafür kann, daß das Geschäft schlecht geht. Wenn man einen Mann für etwas entläßt, das er nicht verschuldet hat, dann ist das eine Grausamkeit.«

»Wir wollen ja nicht grausam sein«, sagte ich und versuchte, über ihren Einwurf hinwegzulachen, »aber das Geschäft hat Vorrang. Ich bin überzeugt, daß Pauling das verstehen wird.« Ich wandte mich an Herb. »Die Mehrarbeit macht mir gar nichts aus. Ich würde ...«

»Mein Albert war erst siebenundfünfzig, als sie ihn entlassen haben«, meldete Mutter Harnisch sich wieder zu Wort. »Er hatte zweiunddreißig Jahre bei der gleichen Firma gearbeitet und sie haben ihn völlig grundlos hinausgeworfen. Sie haben ihm einfach gesagt, er sei zu alt.«

»Ich bin sicher, unser Mann wird einen anderen Job finden«, sagte ich. »Er ist erst vierzig und sehr tüchtig. Ich habe mir das so vorgestellt, Herb. Wir könnten das Gebiet bei Moresfield teilen. Ich würde den Teil übernehmen, der . . .«

»Alt sein ist etwas Fürchterliches«, sagte Mutter Harnisch zu Herb. »Ich hoffe nur, daß es Ihnen eines Tages nicht auch so ergehen wird. Man sitzt einfach da, hat nichts zu tun und wartet auf das Sterben.«

»Ja, Ma'am«, sagte Herb. Ich sah ihm an, daß er schon ungeduldig wurde.

»Gehen wir ins andere Zimmer«, schlug ich vor.

»Albert war ein so tüchtiger Angestellter«, sagte Mutter Harnisch und klammerte sich an Herbs Arm. »Die alten Leute sind die verläßlichsten Mitarbeiter. Das haben sie x-mal bewiesen. Ich erinnere mich noch, wie er die Stellung bekam. Er war so glücklich. Wir waren damals erst wenige Jahre verheiratet und . . .«

»Tja, ich darf mich wohl entschuldigen«, sagte Herb und stand auf. »Es ist spät geworden. Doris, für einen Junggesellen wie mich war deine Einladung ein wahrer Lichtblick.«

»Geh noch nicht fort, Herb. Höre dir erst an, wie ich mir die Sache vorgestellt habe.«

»Wir sprechen morgen darüber«, sagte er. »Gute Nacht, Doris. Und nochmals vielen Dank. Gute Nacht, Mrs. Harnisch.«

Ich packte ihn noch knapp vor der Tür am Arm. »Herb, laß dich doch durch die alte Dame nicht beeinflussen. Ich habe mir alles genau überlegt und . . .«

»Wir reden morgen darüber, Lou. Ich bin jetzt wirklich müde. Und sage Doris nochmals Dank.« Damit war er fort.

»So ein netter Mensch«, sagte Mutter Harnisch, als ich wieder ins Eßzimmer kam.

»Er war auch ganz verrückt nach dir«, sagte ich.

»Ich finde es reizend, einen Geschäftsfreund zum Abendessen einzuladen und . . .«

»Ihn zu zwingen, sich das Gequatsche einer alten Frau über ihren Mann anzuhören«, endete ich.

»Lou!« sagte Doris.

»Warum hast du nicht ausnahmsweise mal den Mund halten können?« sagte ich zu Mutter Harnisch. »Hast du denn nicht so viel Hirn zu erkennen, daß du uns gestört hast?«

»Lou!«

Aber in mir hatte sich die Wut einer ganzen Woche aufgestaut und ich war nicht mehr aufzuhalten. Ich griff Mutter Harnisch unbarmherzig an. Ich warf ihr vor, daß sie sich uns aufgedrängt hätte, uns rücksichtslos ihre Ansichten aufzwingen und das scheußlichste Essen vorsetzen würde, und daß wir obendrein ihren kindischen Geschmack beim Fernsehen erdulden müßten. Die Beleidigungen strömten wie Lava aus mir. Sie sah mich zuerst ungläubig, dann betroffen und schließlich wütend an. Schluchzend wandte sie sich ab und rannte aus dem Zimmer.

Nach dieser Szene besserte sich unser häusliches Leben etwas. Allerdings bestand Doris darauf, daß ich mich bei Mutter Harnisch entschuldige. Gleichzeitig legte ich den Louis-G.-Westermere-Plan zur Haushaltserneuerung vor; es war ein Zehnpunkteprogramm, das mindestens ebenso sorgfältig detailliert war wie alles, was Wilson jemals geschaffen hatte. Doris wurde wieder als Chefköchin eingesetzt; der indische Tee wurde in seine Dose versenkt; Salz, Pfeffer und alle gebräuchlichen Gewürze erschienen wieder auf dem Tisch. Die Bar wurde zugänglich gemacht und erhielt Nachschub. Die Bonbons durften meine Taschen verlassen und die Zigarren brannten beinahe pausenlos, wenn ich mir meine Wildwestfilme im Fernsehen ansah oder unsere Freunde zum Kartenspiel einlud.

Einzig wegen meines Lieblingssessels schlossen wir einen Kompromiß. Mutter Harnisch war anscheinend unfähig, sich ihm tagsüber fernzuhalten; aber kaum hörte sie mich kommen, trippelte sie zur hintersten Ecke der Couch und blieb dort trotzig sitzen. Natürlich gab es regelmäßige, beinahe stündliche Versprechungen, daß sie abreisen würde. Aber wie ich sah, wurden keinerlei Reisevorbereitungen getroffen. Außerdem wußte sie — was Doris mir ständig in Erinnerung rief — wirklich nicht, wohin sie gehen sollte.

Solange sie mir nicht in die Quere kam, störte es mich auch nicht, wenn sie noch ein Weilchen blieb. Fast wären wieder normale Verhältnisse eingezogen, wäre Herb nicht so unnachgiebig gewesen. Aber meine Einwände prallten wirkungslos an ihm ab. An einem Freitagabend rief er mich noch spät an, um mir zu sagen, man hätte ihm eine gute Stelle bei einer anderen Firma angeboten und er würde morgen dort zusagen.

»Gib mir noch einmal Gelegenheit, dich von meinen Ideen zu überzeugen«, flehte ich ihn an. »Ich habe mir heute sämtliche Bücher mit nach Hause genommen und sehe sie mir nochmals durch. Mach morgen früh, ehe du zu dieser anderen Firma gehst, einen Sprung bei mir vorbei. Dann können wir immer noch eine letzte Entscheidung treffen.«

Lustlos sagte er zu. Ich arbeitete beinahe die ganze Nacht und erwog sämtliche Einsparungsmöglichkeiten, die die Firma über Wasser halten mochten.

Am nächsten Morgen um zehn Uhr weckte mich die Hausglocke. Es war Herb. Doris war, wenn ich mich richtig erinnere, einkaufen gegangen, und Mutter Harnisch ließ sich nirgends blicken. Wir begaben uns in den Salon und begannen zu verhandeln.

Für Herb war das Gespräch peinlich, für mich verzweifelt. Wir waren seit fünf Jahren Geschäftspartner und seit fünfzehn Jahren die besten Freunde. Keiner wollte den anderen verletzen. Wie Operettensänger sprangen wir abwechselnd auf und liefen vor dem Kamin auf und ab. Jeder versuchte, seinen Standpunkt begreiflich zu machen.

»Es geht einfach nicht, Lou«, sagte er schließlich. »Es tut mir zwar leid, dich in dieser Situation allein lassen zu müssen, aber wenn du schlau bist, steigst du auch aus. Die Sache hat eben nicht geklappt. Man kann nichts weiter tun, als aufhören, bevor der Verlust zu groß wird.«

Nochmals versuchte ich ihm klar zu machen, daß für mich selbst schon ein geringfügiger Verlust zu groß sei, da mein gesamtes Kapital in der Firma stecken und ein Bankrott meinen Ruin bedeuten würde.

»Es tut mir wirklich leid«, sagte er aufrichtig. Dann sah er auf seine Uhr und fügte hinzu: »Es ist beinahe schon Mittag. Ich bin um ein Uhr verabredet und möchte mich nicht verspäten. Am besten, du rufst mich nächste Woche an, damit wir eine Zusammenkunft mit dem Anwalt verabreden können.«

Er wandte sich zur Tür. Ich sprang auf, packte ihn bei den Händen und hielt ihn zurück.

»Nur noch eine Minute, Herb. Hör zu, ich habe eine neue Idee.«

»Bedaure, Lou. Es hat keinen Zweck.« Er versuchte, meine Hände abzuschütteln, aber ich klammerte mich wie ein Ertrinkender an ihn.

»So warte doch! Höre mich an!« Ich versuchte, ihn zu seinem Stuhl zurückzuzerren; da verrutschte der Teppich unter seinen Füßen. Er fiel nach hinten und schlug mit dem Kopf gegen den Kamin.

»Herb!«

Doch schon als ich mich neben ihn kniete und ihn entsetzt anstarrte, wußte ich, daß er tot war.

»Herb!« schrie ich und rüttelte ihn. »Herb! So antworte doch!« Aber natürlich konnte er das nicht.

Dann sagte eine Stimme: »Du hast ihn ermordet.«

Es war Mutter Harnisch. Sie stand im Flur, der die beiden Zimmer voneinander trennte. Ihre steife Dauerwelle war zerzaust; ihre Augen waren noch von dem Nickerchen verquollen, das sie in meinem Sessel soeben gemacht hatte.

»Ich habe alles gesehen«, sagte sie langsam. »Du hast mich nicht bemerkt, aber ich habe alles beobachtet. Du hast nicht einmal gewußt, daß ich da bin, aber ich habe alles gesehen. Du hast ihn gestoßen und dann seinen Kopf auf den Kamin geschlagen. Das werde ich der Polizei sagen.«

»Nein! Du bist verrückt! Es war ein Unfall! Er ist ausgerutscht und . . .«

Ich brach ab, denn Mutter Harnisch lächelte. Es war das heimtückische Lächeln einer unerwünschten alten Frau, der es eben geglückt war, sich für den Rest ihres Lebens ein bequemes Plätzchen zu sichern.

»Sie werden mir glauben, wenn ich es ihnen erzähle«, sagte sie kopfnickend. »Sie werden mir glauben.«

Und ich begriff, daß die Polizei ihr tatsächlich glauben könnte.

Mutter Harnisch erkannte das sehr wohl. Ihr Lächeln vertiefte sich. Ihre grauen Augen funkelten wie Sterne. Für mich waren es allerdings untergehende Sterne, die Lichtpunkte meines bescheidenen Daseins: Whisky, Zigarren, ein anständiges Essen mit Salz und Pfeffer, Bridge, Bonbons, Wildwestfilme – das alles versank vor meinen Augen.

Nachdem ich die Polizei verständigt hatte, führte Mutter Harnisch mich sanft ins Zimmer, damit ich mir gemeinsam mit ihr eines ihrer Lieblingsprogramme ansehe: ›Königin für einen Nachmittag‹.

HEYNE KRIMI

Eine Auswahl spannender Kriminalromane.

Wilhelm Heyne Verlag München

Heyne-Taschenbücher: das große Programm von Spannung bis Wissen.

HEYNE BÜCHER

Jeden Monat erscheinen mehr als 40 neue Titel.